S0-BYY-795

OtroMundo

RBA MOLINO

OtroMundo

ALLY CONDIE | BRENDAN REICHS

Traducción de Lluïsa Moreno

Título original inglés: *The Darkdeep*.

Publicado originalmente en inglés en 2018 por Bloomsbury Publishing Inc.

© del texto: Allyson Braithwaite Condie y Brendan C. Reichs, 2018.
© de la traducción: Lluïsa Moreno, 2018.
© de la ilustración de la cubierta: Antonio Javier Caparo.
© del diseño de cubierta: Jeanette Levy.
Adaptación del diseño de cubierta y del diseño de interior: Compañía.
© de esta edición: RBA Libros, S.A., 2018.
Diagonal, 189 - 08018 Barcelona.
rbalibros.com

Primera edición: noviembre de 2018.

RBA MOLINO
REF.: MONL506
ISBN: 978-84-272-1505-4
DEPÓSITO LEGAL: B-22.033-2018

PREIMPRESIÓN • EL TALLER DEL LLIBRE

Impreso en España • *Printed in Spain*

PARA JODI,
CON GRATITUD, ADMIRACIÓN Y UNA PIZCA DE MIEDO

PRIMERA PARTE

TIMBERS

I

NICO

El suelo se elevó de pronto y golpeó a Nico en toda la cara.

Se quedó sin aire mientras rodaba por una ladera con mucha pendiente. El dron le pasó rozando, y se aproximó a la hierba justo antes de precipitarse por el borde de un acantilado cubierto por unos remolinos de niebla oscura.

«Casi me mata mi propio cuadricóptero. Dios».

Nico oyó unos pasos atronadores. Un Tyler Watson boquiabierto apareció en lo alto de la colina, con las gafas de sol encajadas en su pelo retro estilo casco. Al cabo de un instante, Emma Fairington apareció a su lado con el control remoto en las manos.

—¡Lo siento, lo siento! —Tyler se agarró la cabeza—. ¡Es como si el control estuviera bloqueado!

—No hay nada bloqueado —le espetó Emma—. Has olvidado para qué sirve cada palanca. Hacia abajo es para subir, lumbreras.

—¿A quién se le ocurre hacer unos mandos así? —replicó Tyler.

Al poco, el dron emergió a toda velocidad de la niebla y trazó un arco a gran altura sobre la costa nublada del noroeste del Pacífico. Nico gruñó aliviado, mientras se apartaba el pelo castaño de los ojos.

—Buen vuelo, Emma. Te debo tu helado favorito.

Emma asintió con la cabeza, totalmente de acuerdo.

—El de chocolate con malvaviscos, cuál va a ser.

—¿Lo veis? Todo en orden. —Tyler suspiró y luego alzó un dedo—. Ahora lo importante es que el dron de Nico está a salvo. O sea, que no perdamos el tiempo con elucubraciones sobre quién casi ha matado a quién con qué.

—Entendido.

Nico puso los ojos en blanco.

—De hecho, podría haber sido cualquiera. —Tyler era bajo y flaco, y tenía la piel oscura y una risa contagiosa. Miró detenidamente a Nico, que estaba en el suelo a poco más de metro y medio de una larguísima caída, al filo del mismo acantilado cubierto de niebla. Ahora que sabía que su amigo estaba fuera de peligro, Tyler apenas podía contener la risa—. Oye... ¿estás bien, Nico? Eso ha debido de doler.

Nico se alegraba de estar entero. Le gustaba jugar a cosas divertidas, pero no tenía nada de divertido lanzarse cuesta abajo para esquivar un dron alocado de casi catorce kilos. No mientras su padre estaba río arriba, en una estación de investigación forestal, y su hermano, fuera, en la universidad. A los doce, en la familia Holland se consideraba que eras lo suficientemente mayor para ocuparte de ti mismo, pero no si acababas en el hospital.

—Estoy la mar de bien. —Nico escupió briznas de hierba que tenía entre los dientes—. Pero la próxima vez intentad no matarme con mi invento.

—¿Tu invento? —Tyler soltó un resoplido a la vez que bajaba dando pisotones para echar una mano a Nico—. Nunca habría visto la luz sin nosotros. —Se le escapó la risa, y luego a Nico. Era lo que solía pasar cuando estaban con Tyler.

—Ha sido culpa mía también —admitió Emma mientras los chicos subían la cuesta para unirse a ella—. Le he dado a Ty instrucciones de vuelo. Tratábamos de recrear esa escena de *Rogue One* en la que los Alas X atacan la playa.

Le brillaron los ojos azules al imitar un bombardeo en picado con ambas manos. Emma siempre hablaba de películas, tanto de sus favoritas de ciencia ficción como de las que pretendía rodar algún día. A Nico en general le parecía divertido, siempre y cuando él no se encontrara en la línea de fuego.

—Ya tenemos las secuencias épicas —dijo Tyler—. ¡Chaval, menudo careto tenías cuando corrías para salvar el pellejo! Ha sido la monda.

—¡Es una pasada! —Emma agitó su móvil—. ¿Quieres ver cómo das tumbos en cámara lenta?

—Paso. —Nico parpadeó para despejar la cabeza—. Ahora mismo veo tres móviles.

A Emma le cambió la cara, pero Nico le dio un toque en el hombro con el suyo para indicarle que era una broma. Ella miró hacia la niebla que había detrás de ellos y se estremeció.

—Vamos a echar un vistazo al dron. Tal vez deberíamos hacerlo volar en otro lugar.

Tyler asintió con la cabeza rápidamente.

—A mí me vale cualquier sitio que no sea esta fábrica espeluznante.

Nico lo captó. A nadie le gustaba estar tan cerca de Still Cove. Dieron media vuelta y se apresuraron a inspeccionar el cuadricóptero, que estaba tendido en la hierba.

Habían ido en bicicleta hasta este campo remoto, ocho kilómetros al noreste de Timbers, más allá incluso del antiguo fortín de Razor Point, porque era la franja más estrecha en esta zona costera de Washington, y los vientos eran más moderados que en cualquier otro lugar. Además, limitaba con tierra de nadie, lo que significaba que estarían solos.

Nico se volvió hacia atrás para observar la niebla. Todos los niños de Timbers habían crecido escuchando historias de terror sobre Still Cove, un recodo de aguas estancadas rodeado de acantilados y cubierto por una bruma perpetua. Con unas paredes abruptas, unas rocas irregulares y unas corrientes extrañas, la ensenada era considerada demasiado peligrosa para las embarcaciones. Y también estaban los rumores sobre la Bestia.

Por eso la gente no se acercaba. Puede que los turistas se burlaran del legendario monstruo marino de Skagit Sound, pero la gente de la zona no lo hacía. Eran muchas las embarcaciones que habían desaparecido sin dejar rastro.

Sin embargo, Nico había querido probar su cuadricóptero en un cielo sereno. Había invertido cuatro semanas y seiscientos pavos en su construcción. Era toda su fortuna. Se sobresaltó cuando Emma le puso la mano en el hombro. Ella no se dio cuenta; miraba la bruma con una expresión seria.

—Nunca me acostumbraré a este lugar —afirmó en voz baja.

A mano derecha, unas nubes se cernían sobre Skagit Sound, pero no había nada que temer. Un suave oleaje bañaba la playa al pie de los acantilados. Pero justo delante, Still Cove hacía honor a su nombre: enclavado entre los acantilados, estaba cubierto por un grueso manto de niebla, como si formara un ecosistema aparte.

Emma se estremeció.

—¿De verdad creéis que la Bestia vive ahí abajo?

—Ni la nombres —graznó Tyler, y su buen humor se esfumó—. Trato de no pensar en lo estúpidos que somos por habernos acercado tanto. Es como si hubiéramos tocado la campanilla de la cena.

Nico resopló.

—Anda, chaval. Aquí no hay ningún monstruo marino.

—Eso es lo que dice la gente que es devorada por los monstruos marinos. —Tyler se bajó las gafas de sol—. Ya sabéis lo que le ocurrió al Merry Trawler, ¿no? Mi hermana dijo que el pesquero, que iba a la deriva, llegó al puerto con unas marcas de mordeduras de casi un metro de ancho.

El padre de Tyler era el capitán del puerto de la localidad. Su madre dirigía la Sociedad para la Conservación

13

del Faro, y Gabrielle, su hermana, que era mayor que él, trabajaba en las excursiones guiadas de pesca durante el verano. En total, los Watson sabían más del Sound que cualquier otra familia de Timbers, pero Tyler detestaba el océano.

—Tu hermana sabe que te vas a creer todo lo que ella diga —le espetó Nico, aunque no pudo evitar echar una mirada furtiva a la bruma. «La verdad es que no se ve nada»—. Volvamos al tema del cuadricóptero —dijo, reprimiendo un escalofrío—. Quiero probar algunas inversiones, tal vez comprobar su autonomía.

—Deja de utilizar palabras que no entiendes —le cortó Tyler, y los dos se echaron a reír.

Una lechuza apareció revoloteando en el borde del acantilado, se puso en la hierba con un graznido y miró fijamente el dron. Emma juntó las manos con fuerza en el momento en que el ave erizó las plumas.

—Oh, está loco. ¿Es una de esas lechuzas de la discordia?

La amplia sonrisa de Nico se esfumó. Le pegó una patada a una piedrecita.

—No lo sé. Tal vez.

Emma hizo una mueca de dolor.

—Lo siento, Nico. No he caído.

Hacía un año, el padre de Nico había presentado una reclamación contra la Nantes Timber Company, que era la mayor empresa de la localidad, porque al parecer representaba una amenaza para las zonas de anidación de una especie de cárabos moteados en peligro de extinción. El tribunal falló a su favor y declaró un área protegida de miles de hectáreas. De resultas de ello, el propietario de la empresa, Sylvain Nantes, había optado por despedir a un considerable número de trabajadores.

Los despidos perjudicaron a toda la población. Actualmente a Nico y a su padre todo el mundo los miraba mal adondequiera que fueran. Warren Holland era inmune a la negatividad y creía firmemente en su trabajo con el servicio de parques. A Nico, en cambio, le molestaban absolutamente todas las miradas.

—Bueno, a mí me parecen una preciosidad —comentó Emma cuando la lechuza alzó el vuelo—. Deberían estar protegidas.

Nico asintió con la cabeza, pero no dijo nada.

—Veamos los daños que ha sufrido el dron —sugirió Tyler para cambiar de tema.

Inspeccionaban el tren de aterrizaje cuando otro sonido rompió el silencio, un ronroneo sordo que Nico notó en el fondo de sus entrañas. Creyó reconocer el ruido, y no presagiaba nada bueno. Un instante después, dos figuras borrosas se perfilaron en lo alto de la colina, al otro lado del descampado.

Buggies. De un color cromado brillante. A Nico se le cayó el mundo encima.

En Timbers solo unos pocos muchachos tenían su propio buggy.

El conductor más alto se enderezó en el asiento y señaló hacia ellos. Los motores rugieron cuando los buggies se precipitaron derechos hacia Nico y sus amigos. Empezaron a dar vueltas en círculo, mientras los conductores reían y gesticulaban, hasta que se detuvieron bruscamente. El alto se quitó el casco y dejó al descubierto una maraña sudada de pelo negro y reluciente. Unos ojos oscuros los observaron.

Logan Nantes. Nico se pasó la mano por la cara.

—¡Mira eso! —exclamó Logan—. Estos friquis tienen la maqueta de un avión.

Carson Brandt soltó una carcajada y se quitó un casco pintado a modo de calavera. De un salto bajó del otro buggy, y se le arrugaron todas las pecas de la nariz bronceada. Parker Masterson se apeó detrás de él con una sonrisa burlona de lo más cruel.

—No es un avión. —Tyler se quitó las gafas de sol, y sus ojos de alguna forma se estrecharon y se hincharon al mismo tiempo—. Es un cuadricóptero Phantom 3. Un dron, chaval. Lo hemos construido nosotros.

—Y qué importa eso —replicó Carson.

Tyler bajó la cabeza.

Nico tragó saliva, inspeccionando a los recién llegados en busca de un rostro amable. No encontró ninguno.

Aunque, a decir verdad, daba la impresión de que Opal Walsh no quería estar ahí. Bajó del vehículo después de Logan y se cruzó de brazos; su larga trenza negra le caía sobre un hombro. Opal lucía la expresión de alguien que se ve obligado a presenciar un espectáculo que no es de su agrado.

Sus miradas se encontraron, y algo titiló en el fondo de los ojos de Opal. ¿Una chispa de... desazón? ¿De lástima? ¿Vergüenza? Se desvaneció tan pronto como había aparecido. Ella apartó la mirada, con lo que dejó claro a Nico que no esperara ningún tipo de ayuda por su parte.

«En la guardería nos comíamos a medias mis natillas, tonta del culo». Pero Nico no tuvo tiempo de mirar a la que había sido su amiga. Logan estaba justo delante de él.

—Muy buenas, señor Animal Planet —le soltó Logan, un comentario que provocó la risa de Carson y Parker.

Opal escarbó el suelo con la zapatilla de deporte. Nico se preguntó por qué andaba con esos idiotas, pero trataría de responder a ello más tarde. Ahora debía concentrarse en el depredador que tenía enfrente.

«No seas un héroe. Póstrate como un perdedor».

—Muy buenas, Logan —respondió Nico tratando de que su voz sonara lo más natural posible—. ¿Qué tal? Un buen coche, este.

—Por supuesto —dijo Logan—. Es un Trailbreaker Extreme. El mejor.

Nico asintió con la cabeza como si estuviera impresionado, y en verdad, sí lo estaba. El padre de Logan era el propietario de la empresa maderera y el hombre más rico de la ciudad. Antes eran todavía más ricos, pero el padre de Nico les había puesto palos en las ruedas, un hecho desagradable que Nico sabía seguro que estaba a punto de salir de una forma desagradable.

—¿Estáis buscando aves exóticas o qué? —les preguntó Logan con una sonrisa siniestra—. ¿Queréis añadir más especies preciosas a la lista?

Nico reprimió un suspiro. «Esto no acabará nunca».

—Oye, Logan —empezó a decir Nico—. Yo no...

17

—¿Este es tu dron? —le interrumpió Logan, señalando el cuadricóptero.

Nico pensó que era una pregunta ridícula, pero respondió de todos modos.

—Sí.

Logan se agachó para examinarlo más de cerca.

—¡Cómo mola! ¿Puedo?

«Oh, no. Oh, no, oh, no, oh, no».

Emma miró a Nico a los ojos y negó con la cabeza. La boca de Tyler se torció como si hubiera hincado el diente en un limón. Sin embargo, no había nada que Nico pudiera hacer.

—Claro. Sí. Solo que... ya sabes...

Logan se levantó despacio, sin dejar de mirar a Nico.

—Solo que... ¿qué, Nicolas?

Nico tragó saliva.

—Que tengas cuidado. Cuesta un poco acostumbrarse a los mandos.

Logan sonrió, mostrándole una dentadura blanca perfecta.

—No te preocupes, ya sé cómo va.

Se quitó los guantes de conducir y le extendió la mano. A regañadientes, Nico le pasó el control remoto. Todo el mundo observó cómo Logan hacía despegar el cuadricóptero en vertical. Una sonrisa sincera apareció en su rostro mientras el dron trazaba un círculo enorme en el descampado y luego volvía a aproximarse a ellos y los sobrevolaba.

—Esto mola mazo, Nico.

Nico respiró aliviado. Tal vez Logan en verdad solo quería probar el dron.

—Aunque tengo una curiosidad —apuntó Logan, encogiéndose de hombros—. ¿Los drones son más rápidos que las lechuzas?

Antes de que Nico pudiera responder, Logan accionó la palanca a la máxima potencia. El dron se precipitó derecho a la niebla que ocultaba Still Cove.

—¡Espera!

Nico se abalanzó sobre el control remoto, pero Logan le dio un empujón hacia Carson, que lo agarró por los brazos. Parker se quedó mirando a Emma y a Tyler. Impotente, Nico observó cómo su dron desaparecía en las brumas turbulentas.

—¿Quién sabe, Holland? —Logan tiró el mando al suelo y le arreó un puntapié—. Quizá Still Cove sea una zona de anidación protegida para cacharros.

Nico intentó coger el control remoto mientras Logan se dirigía tranquilamente hacia su buggy. Nico miró por encima del hombro y descubrió que Opal lo observaba con una expresión indescifrable. Pero no tuvo tiempo de reflexionar sobre ello. Cogió el control remoto e hizo todo lo posible para que el dron remontara el vuelo.

Se oyeron unas carcajadas mientras los conductores subían a sus vehículos, los ponían en marcha y abandonaban el lugar. Nico accionó las palancas con desesperación, pero transcurrieron los minutos y no apareció nada.

Emma se sorbió la nariz. Tyler le puso a Nico una mano en el hombro.

—Lo siento mucho, tío —le dijo en voz baja—. Seguramente no le llega la señal. Estos tipos son de lo peor. Gentuza.

Nico negó con la cabeza; notaba cómo una bola de rabia y negación se hinchaba en su pecho, como un chicle.

—No. ¡Es un Phantom! Flotan. Regresará aquí en cuanto haya recuperado la conexión.

Sin embargo, por mucho que manipuló el mando, no surtió efecto.

Emma se secó los ojos.

—¿Qué se les ha perdido por aquí, por cierto? Estaba convencida de que estaríamos solos.

—Van con esos armatostes por todas partes —murmuró Tyler—. A Logan le encanta ir de chico duro por la vida.

Nico se negó a reconocer su derrota. Se puso en pie y se dirigió con decisión hacia el acantilado cubierto de niebla.

—El problema es la distancia. Debo acercarme más. Así podré captar la señal y todo se arreglará.

—¡Chaval! —Tyler levantó la mano en un gesto de desesperación—. Ahí abajo está Still Cove. Ni siquiera vemos el agua. Se ha perdido, colega. Es lo que hay.

—No tengo que ir abajo de todo. Solo debo alejarme lo suficiente para restablecer la conexión con el Phantom. —Nico empezó a caminar por el filo. Eran unos acantilados abruptos, y no había ningún sitio fácil por donde bajar. No obstante, a unos veinte metros enfrente de ellos, Nico descubrió un saliente que se hundía con gran inclinación en la niebla—. ¡Por allí! Puedo bajar por allí hasta que logre captar la señal.

Tyler alzó las manos al cielo.

—Nico, recapacita. ¡Ni siquiera sabes adónde va eso!

—Tiene razón —apuntó Emma con voz temblorosa—. Es peligroso, Nico. No lo hagas.

Pero Nico ya andaba poco a poco hacia el saliente.

—No os preocupéis, colegas. De verdad. Iré muy, pero que muy despacio. No estoy loco.

—¡Pues deja de comportarte como si lo estuvieras! —Tyler dio una patada al suelo—. No sabes hasta dónde llega ese saliente, y tampoco puedes dirigir el dron con esta niebla. ¡Vuelve aquí antes de que te descalabres!

Sin hacer caso de Tyler, Nico se guardó el control remoto en el bolsillo de la sudadera. Lo había dado todo por ese cuadricóptero. No iba a permitir que Logan Nantes se lo arrebatara. Ni hablar.

—Tyler, tranquilo. El camino está bien. Si voy des...

La gravilla crujió y, a continuación, se oyó el chirrido de una goma que se deslizaba sobre la piedra.

Nico perdió el punto de apoyo. Se balanceó a un lado, sus brazos giraron en molinete. Con un grito ahogado y los ojos como platos, volvió la vista atrás, hacia sus amigos. Entonces Nico cayó y desapareció en la bruma.

Ni siquiera tuvo tiempo de chillar.

2

OPAL

«Esto no está bien».

Mientras se alejaban en el buggy, Opal no podía dejar de pensar en la cara que había puesto Nico cuando su dron desapareció en la bruma. Habían sido amigos de pequeños. A él siempre le había gustado construir cosas. ¿Cuánto tiempo habría empleado en montar ese artefacto? ¿Cuánto le habría costado?

—Para —dijo Opal.

Logan miró atrás por encima del hombro.

—¿Qué? —gritó.

—¡He dicho que pares!

Logan entrecerró los ojos, pero pisó el freno y el vehículo se detuvo bruscamente. Opal se quitó el casco que él le había dejado. Logan también se quitó el suyo y se pasó los dedos sucios de barro por el pelo.

—¿Qué ocurre? —preguntó.

Opal bajó del todoterreno. Detrás de ellos, el otro vehículo redujo la marcha.

—¿Qué es lo que pasa? —gritó Parker.

—Me vuelvo. —Opal ya se alejaba.

—¿Adónde?

Como Opal no respondió, Logan aceleró el buggy, dio un volantazo y se detuvo, cortándole el paso.

—Ya sabes adónde. —Opal puso las manos en jarras—. No deberías haber hecho eso.

Vio que algo se endurecía en la mirada de Logan, lo que sucedía a menudo cuando la gente hablaba de Nico. A veces, Logan podía ser gracioso. Había momentos en que Opal incluso pensaba que era atractivo. No ahora.

—Voy a ayudarles a buscarlo —dijo Opal.

Carson resopló desde el techo del otro buggy.

—Ese trasto ya no está en órbita, caray. Nunca lo encontrarán.

—Seguro que era caro. —Opal se fijó en Logan. ¿La acompañaría? Creía que a él le gustaba. Había querido que salieran siempre juntos últimamente, desde que ella se había mudado a unas pocas casas de donde vivía él, en Overlook Row.

Sin embargo, Logan negó con la cabeza, enfadado.

—Por su culpa mi padre perdió un millón más de lo que valía ese dron.

—Por culpa de su padre —apuntó Opal, aunque sabía que no serviría de nada—. Nico no hizo nada.

—No, claro. —Logan se volvió a poner el casco—. Anda, sube, es estúpido.

Opal le arrojó el casco a Logan, que lo cogió como pudo, y echó un vistazo al otro coche. Carson sonrió con suficiencia mientras se bajaba la visera. Parker se encogió de hombros.

Ella no se sorprendió. Opal era nueva en el grupo. Después de aquello lo más probable era que la desterraran para siempre.

—Como quieras. —El tono de Logan era una mezcla de frustración y resentimiento—. Supongo que tienes previsto volver andando a la ciudad, ¿no?

—Supongo que sí.

Opal lo adelantó, y las hierbas altas le rozaron las piernas. La invadió la arrolladora sensación de «estoy haciendo lo correcto». Le duró mientras los buggies se alejaban ruidosamente. Le duró hasta que llegó a la cima de la última colina, que fue cuando vio que Emma chillaba y Tyler se tiraba de los pelos.

Algo iba mal.

Opal recorrió los últimos cien metros y se detuvo justo al borde del precipicio.

—¿Qué ha pasado?

—¡Nico ha caído! —gritó Tyler, asomándose al filo. Ni siquiera le preguntó qué hacía ella allí.

Opal sintió un vacío escalofriante en el estómago.

—¿En la cueva?

Tyler asintió con la cabeza. Movió los labios, pero no logró articular sonido alguno.

—¿Has llamado al 911? —Opal sacó al instante su móvil destartalado—. ¿O a alguien?

—No hay cobertura —gimoteó Emma con los ojos desencajados—. ¡No hay hasta Razor Point!

Emma tenía razón; cero cobertura. El pánico se apoderó de Opal. Nunca nadie se había despeñado en Still Cove. No que ella supiera, y había vivido en Timbers toda su vida.

—Tenemos que bajar —resolvió—. Ahora mismo.

—¡No hay forma de bajar! —lloriqueó Tyler, que se secaba los ojos enrojecidos mientras miraba fijamente la bruma—. Es por eso por lo que Nico se ha caído. Trataba de recuperar el dron.

—Pues buscaremos la forma de hacerlo —replicó Opal—. Porque supongo que queréis intentarlo, ¿no?

Tyler se estremeció, pero al parecer la rabia de Opal hizo reaccionar a Emma.

—Una misión de rescate —murmuró ella—. Vale. Démonos prisa.

Intentando mantener la calma, Opal llevó a Emma por el filo del precipicio. Tyler las siguió.

—Id con cuidado. Por aquí resbala —advirtió Opal, examinando la abrupta pendiente—. De todos modos, tiene que haber una forma de ir hasta abajo. Como una senda. Tal vez la bajan animales para beber.

—¿Para beber qué? —replicó Tyler, que las seguía cabizbajo—. ¿Agua salada?

—¡Tú limítate a buscar un camino! —le espetó Opal.

Recorrieron la ladera, apartando arbustos y ramas fibrosas, y renegaban cuando el suelo cedía bajo sus pies. Era sobrecogedor estar tan cerca de Still Cove. Como sentir un aliento frío en la nuca.

Trató de no pensar qué podía suponer para Nico cada segundo que pasaba.

«Sabe nadar, ¿no? Claro que sabe».

Sin embargo, Still Cove no tenía playa. Ni salida. ¿Y qué era lo que se ocultaba en el fondo?

«¿Y si no ha caído al agua? ¿Y si no había suficiente profundidad?».

—¡Mirad!

Emma señaló detrás de un pino solitario, que parecía un centinela. Un sendero de tierra que apenas se veía se adentraba en el acantilado. Opal descubrió las huellas en forma de corazón, en dirección contraria, de unas pezuñas de ciervo.

«Aleluya».

—Yo iré primera —decidió Opal—. ¿Venís alguno de vosotros dos?

No esperó a que le respondieran y enfiló el angosto camino antes de que su cuerpo cogiera frío. Al poco Opal oyó pasos a sus espaldas; eran dos. No miró atrás. No podía. Los diez metros siguientes eran una bajada muy pronunciada, y luego la niebla lo cubría todo.

—¿Nico? —llamó Opal.

Fue como si la bruma engullera su voz. Algo agitó las ramas de un árbol que crecía aferrado a la pared del acantilado. A Opal se le aceleró el pulso. ¿Y si era Nico?

Volvió a atisbar el mismo movimiento, apenas perceptible en la niebla. Las hojas se separaron y una lechuza la miró con mala cara, molesta de haber encontrado a unos humanos en su territorio.

—Tú has empezado esto —le dijo Opal entre dientes—. Tú y el peligro de que te extingas.

La lechuza miró hacia otro lado.

—¿Opal? —gritó Emma desde arriba—. ¿Estás bien?

—Sí. —Oyó a Emma, pero la bruma no daba tregua. Unas piedras rodaron entre sus tobillos cuando alguien se movió más arriba de la senda—. Bajar es lo más difícil —les aseguró Opal, tratando de sonar convincente—. La subida será más fácil.

Entonces su pie resbaló y trazó una línea en el barro y la pinaza húmeda.

Empezaban a desanimarse de verdad. Si Nico estaba herido, ¿cómo lograrían trasladarlo hasta arriba?

«Primero hay que encontrarlo».

Eso es lo que diría su padre. Siempre mantenía la calma en los momentos de crisis, incluso últimamente, cuando debía repartir de forma rutinaria notificaciones de desahucio y facturas impagadas. Opal se puso de lado y siguió avanzando muy despacio. La senda se hundía aún más en la niebla. Entonces, de pronto, se sumergió en las brumas.

—¡Veo el fondo! —gritó Opal, observando la superficie plana, parecida a un espejo, de Still Cove, veinte metros más abajo. El oscuro océano presentaba un aspecto más siniestro que la niebla—. Ya casi hemos llegado.

—¿Y Nico? —vociferó Tyler desde arriba.

—Todavía nada.

Opal suspiró aliviada al no ver el cuerpo de Nico Holland estampado en alguna de las puntiagudas rocas que había abajo. Se apresuró a seguir el último tramo de la senda, que conducía a un saliente situado a unos tres metros y medio por encima del agua. Tyler y Emma bajaron tras Opal con gran estrépito.

El saliente de roca tenía unos seis metros de ancho y tres de largo. Una cueva horadaba la pared del acantilado que había detrás de ella. Opal entró y advirtió una grieta en el techo de donde goteaba agua, que formaba un charco arenoso y poco profundo. «Por eso ha venido el ciervo. Aunque el camino acaba aquí».

—Nico debe de haber caído en la ensenada —concluyó Tyler, que los condujo de nuevo hacia el saliente—. Es una buena noticia, al menos.

—Entonces, ¿dónde está? —Emma echó un vistazo alrededor, casi presa del pánico—. Estas paredes son verticales. ¡Es imposible que haya escalado!

Opal mantuvo el temple al hablar.

—Pues debe de estar nadando por alguna parte.

—¡NICO! —rugió Emma, haciendo bocina con las manos—. Nico, ¿dónde estás?

—¡Chist! —susurró Tyler, y sacudió la mano para indicar silencio—. No olvides que ahora mismo estamos en Still Cove. Ni más ni menos. ¡Piensa en lo que eso significa!

Opal se los quedó mirando.

—Por favor, decidme que no estáis hablando de la Bestia.

—Tú ríe todo lo que quieras —le advirtió Tyler—. Hasta que nos coja y nos eche de esta roca.

No hubo respuesta al grito de Emma. Volvió corriendo al interior de la cueva.

—Tal vez esté aquí dentro.

Opal miró al otro lado de la ensenada. Se le puso la carne de gallina solo de pensar en tocar esas aguas turbias. ¿Y Nico se había precipitado en ellas desde lo alto del acantilado? ¿Había alguna posibilidad de que estuviera vivo?

—¡Chicos! —La voz de Emma retumbó por detrás de Opal—. ¡Por aquí sigue la cueva!

—¿Está Nico ahí dentro? —preguntó Opal, girando sobre sus talones. Pero incluso en la penumbra vio que Emma se encogía de hombros.

—No —refunfuñó Emma, con el ánimo por los suelos—. Solo hay escombros.

—¿Escombros? —Opal corrió hacia donde estaba ella. Al principio no distinguió nada en la penumbra, pero de pronto descubrió una sombra más oscura que el entorno y avanzó con cautela para inspeccionarla—. ¡Un bote de remos!

Un grueso manto de telarañas cubría la embarcación, que, aunque estaba algo desvencijada, parecía intacta.

—¡Mira, los remos! —Opal cogió el bote por la borda y empezó a arrastrarlo hasta el saliente rocoso—. Nos puede ser útil para buscar a Nico.

—¿Qué hace este bote aquí? —inquirió Tyler—. ¿En una cueva abandonada en medio de la nada?

—Quién sabe, pero el caso es que nos lo llevamos. Lo sacaremos de la cueva y luego nos montaremos en él.

A Opal se le acababa la paciencia. ¿Cuánto tiempo más podía flotar Nico en el agua?

Emma asintió con la cabeza y cogió con fuerza el otro remo.

—Nos montaremos cuando estemos en el agua —dijo

Tyler lentamente—. El agua donde vive la Bestia. —Se tapó los ojos con ambas manos—. Chicos, no tenemos chalecos salvavidas. Se supone que no debemos subir en un bote sin un chaleco salvavidas.

Opal dio un manotazo al casco de la embarcación, con los ojos encendidos.

—Nico tampoco tiene, Tyler. Ni chaleco ni bote.

—¡Gracias a ti y a tus amigos! —le espetó Tyler, con el rostro crispado por la preocupación y el miedo. Reculó hasta la pared del acantilado y la examinó, tratando de encontrar una forma de escapar.

Opal se estremeció. Era cierto. No podía soportar lo que Logan había hecho, estaba asqueada por aquella situación tan patética. Pero el bote podía ser su salvación.

—Tienes razón. Iré sola.

—Voy contigo. —Emma respiró profundamente—. Nico lo haría por mí.

Opal trató de no mostrarse aliviada.

—Démonos prisa.

Juntas empujaron el bote y lo lanzaron por el borde del saliente. Cayó al agua con un gran estruendo.

—Vamos allá. —Opal expulsó el aire poco a poco y relajó las extremidades—. Todo irá bien. Todo irá bien.

Con un remo bajo el brazo, saltó del saliente rocoso.

«El frío me va a cortar la respiración».

Opal chilló en el momento en que su cuerpo entró en contacto con el agua helada. Se hundió como una piedra al notar que la ensenada se elevaba imponente sobre ella. Que la engullía.

Oyó un chapoteo cerca de ella.

«¿Emma?».

Y otro.

«¿Tyler?».

«¿O acaso era otra cosa?».

Opal salió a la superficie. El bote se encontraba delante de ella, cabeceando en la posición adecuada, y al parecer estaba en condiciones de navegar, a pesar de sus tablones medio caídos. Opal nadó a duras penas hacia él, arrastrando el remo; el agua estaba tan fría que era incapaz de chillar.

Se dio impulso y, con cuidado de no volcar el bote, subió a bordo. Al poco una mano delgada se aferró a la borda del otro costado. Opal ayudó a Emma a subir.

—¿Dónde está... tu... tu remo? —balbuceó Opal mientras Emma se hacía un ovillo, con el pelo rubio empapado y goteando.

—¡Lo tengo yo! —gritó Tyler desde algún lugar próximo a la popa—. ¡Sacadme de aquí! ¡Oh, por favor, sacadme de aquí! ¡Creo que hay algo aquí conmigo!

Apareció el extremo de un remo. Opal se abalanzó tambaleándose y lo sujetó. Emma y ella tiraron de Tyler, que medio escalaba, medio se contorsionaba para ponerse a salvo.

—Lo hemos logrado —musitó Opal. Colocó el remo en un soporte desgastado y hundió la pala en esa agua que parecía un espejo—. Vamos.

Emma se rascó la nuca.

—Claro, pero ¿adónde?

Opal se encogió de hombros, ansiosa por pasar a la acción y no pensar.

—Por aquí. Nos podemos mover en círculo. Hacia delante y hacia atrás. No lo sé, pero debemos encontrar a Nico.

—Uno de los mejores planes de la historia —murmuró Tyler, aunque colocó el otro remo.

Emma se situó en la proa para tener mejor visibilidad y, poco a poco, sin elegancia, el bote fue avanzando. Al principio a Tyler y a Opal les costó sincronizarse, pero enseguida lograron remar a la vez y empezaron a deslizarse por las aguas.

—¡Nico! —gritó Emma—. ¡Nico, ¿dónde estás?!

Tyler daba un respingo con cada chillido, pero no volvió a sacar el tema de la Bestia.

—¿Nos quedamos cerca de la orilla o cruzamos la ensenada? —preguntó.

—No lo sé —admitió Opal.

De cerca, la ensenada era oscura y tenebrosa, y se escuchaban sonidos extraños y ondas desconcertantes. Con el rabillo del ojo vislumbraba unas sombras sinuosas. La niebla se arremolinaba por todas partes.

Tyler gruñó.

—Ya nos hemos desviado un poco hacia el centro. ¿Qué os parece si seguimos en esta dirección? Puede que Nico nos oiga antes.

Opal alzó la cabeza, y entonces se sobresaltó y por poco pierde el remo. Emma gritó en el mismo instante, a la vez que señalaba una figura oscura que se perfilaba en la penumbra plomiza.

Una isla emergió entre las neblinas, rodeada de un bosque siniestro.

Opal jamás había oído a nadie hablar de una isla en Still Cove.

«Nico». Seguro que había ido hasta allí.

Tyler tragó saliva y se levantó un poco del banco para mirar.

—¿Esta... esta es la clase de lugar donde podría vivir un monstruo marino gigante?

Emma chasqueó la lengua.

—Parece el lugar donde vive King Kong.

Unos dedos gélidos recorrieron la espalda de Opal. Se le aceleró el corazón cuando algo vibró en su interior, como el eco de una nota extraña. Daba la impresión de que era una isla... salvaje. Agreste. Ignota. Todos los instintos de su cuerpo se pusieron en guardia de inmediato.

—Si estuviera perdida en el agua —razonó Opal—, ese es el lugar donde yo iría.

—Tierra firme. —Tyler no podía apartar la vista de la isla—. Sí. Él habrá ido hacia allí.

—Así pues, ¿a qué esperamos? —Opal sumergió el remo en aquellas aguas marinas de color pizarra.

Tyler hizo lo mismo, y el bote siguió avanzando propulsado por unas alas silenciosas.

3

NICO

Nico escupió un montón de arena.

Se dejó caer de espalda, agotado y empapado de agua de mar gélida. Luego se puso boca abajo y vomitó. Cuando terminó, Nico se dio impulso con los brazos y entrecerró los ojos, reprimiendo una punzada de miedo. Enterró los dedos en la playa para asegurarse de que era sólida, que podía estar de pie en ella y que no iba a ahogarse.

Había conseguido llegar a la isla, pero por los pelos.

«Pero ¡qué estúpido! ¡Estúpido, estúpido, estúpido!».

¡Había caído a Still Cove! ¡Desde lo alto del acantilado!

Nico apenas había tenido tiempo de tomar conciencia de que iba a morir, porque al instante la niebla lo engulló y seguidamente lo arrojó a las aguas oscuras y glaciales. A raíz del golpe casi había perdido el conocimiento. Había sido un milagro de los grandes que hubiese logrado subir hasta la superficie.

Fue entonces cuando fue presa del terror. Estaba aprisionado por unas paredes verticales. Abajo se extendían unas profundidades inciertas. Nico había llegado al convencimiento de que, tras sobrevivir a la caída, estaría dando vueltas en el agua sin remedio hasta ahogarse. La suerte había querido que se topara con un tronco que flotaba. A la deriva y solo, había estado a punto de tirar la toalla. Hasta que apareció la isla, que emergió entre la bruma como una mancha de media noche.

Había abandonado el tronco resbaladizo y había empezado a nadar hacia tierra, a pesar de que las aguas gélidas le entumecían las extremidades y trataban de hundirlo. Hubo un momento en que tuvo la horrible sensación de que algo grande se movía por debajo de él, pero él siguió avanzando hasta dejar atrás el océano y acariciar la arena sucia.

Así pues... Ahí estaba.

Algo se le clavó en el costado. Nico desenrolló la sudadera empapada y sacó el control remoto. Estaba roto y chorreaba. Nico tiró el mando estropeado con un suspiro.

Se levantó y miró la isla, cubierta en un manto de neblina. Su estrecha playa se curvaba por ambos extremos. Al frente, a lo lejos, un bosque sombrío trepaba en la niebla hasta que se perdía de vista. Nico tembló. Lo cierto es que todas las opciones parecían malas, pero tenía claro que no iba a volver al agua.

Nico se pasó una mano por el pelo mojado, peinándoselo con los dedos. Necesitaba un plan, pero no se le ocurría nada. Tyler y Emma estaban atrapados en lo alto del acantilado y lo más probable era que estuviesen muy asustados. Su padre estaba fuera de la ciudad. Las embarcaciones más próximas se encontraban en Timbers. Nico tenía hambre y sed, y estaba cansado. Lo peor de todo era que no había ni rastro del cuadricóptero.

«Todo ha sido en vano». Nico chutó una piedra, que cayó al agua. ¿Qué había hecho para merecer esto? Solo estaban probando el dron, nada más. Menudo imbécil era Logan.

«No te olvides de Opal». Se ha quedado mirando, sin hacer nada, y luego se ha ido como si Nico no existiera. Si alguna vez había recelado de su amistad, ahora ya sabía que no valía nada. Ella era como los demás.

—Basta. —Nico habló en voz alta para dar énfasis a su determinación—. Aprovecha la luz del día.

Examinó la playa. No invitaba a la exploración. Nico trató de ver entre el bosque sumergido en la niebla. ¿Hasta dónde se elevaba la isla? Tal vez, si trepaba, podría tener una visión más amplia de la ensenada. Encontrar una salida.

«¿Una salida? ¿Acaso crees que hay una estación de autobús allá arriba?».

Nico desterró ese pensamiento negativo. En la playa no había nada que pudiera ayudarlo. Ir a alguna parte, adonde fuera, sería mejor que quedarse ahí plantado temblando.

Había dado dos pasos cuando escuchó su nombre. Susurrante y fantasmagórico, flotaba en el viento. Se volvió hacia el agua, con los ojos como platos. De pronto recordó todas las historias de terror que se contaban de Still Cove.

Nico se quedó petrificado y aguzó el oído. Pero después

de un minuto muy tenso se relajó. Incluso esbozó una sonrisa. «Mi mente me está jugando malas pasadas». Sin embargo, su sonrisa se desvaneció cuando volvió a escuchar su nombre, más fuerte y más cerca; resonaba por todas partes y en ningún lugar a la vez.

Nico retrocedió tambaleándose. Sintió un escalofrío en los brazos. Le angustiaba que pudiera mearse encima.

En el agua, una sombra muy larga se abrió paso entre la niebla. La silueta adoptó la forma de un bote de remos. Nico soltó un grito ahogado cuando una forma diminuta apareció en la proa.

Nico parpadeó. Volvió a parpadear.

Reconoció la figura de la proa. Era... Emma.

Emma corrió hacia la arena y estrechó a Nico en un fuerte abrazo. Tyler llegó al cabo de un segundo y los tres empezaron a saltar y gritar eufóricos. Nico tardó unos instantes en darse cuenta de que había una tercera persona, que varaba el bote de remos sola.

—¿Opal? —murmuró Nico.

Tyler le propinó a Nico un manotazo en el hombro al soltarle.

—Ha sido idea de ella, chaval. A mí me dio un ataque de pánico allá arriba, pero Emma encontró un camino y Opal encabezó la marcha. —Tyler se apresuró a ayudar a Opal con el bote.

Nico negó con la cabeza. Estaba impresionado. No se podía creer que hubieran logrado bajar después de él.

—¿Qué hace ella aquí?

—Ha vuelto. —Emma aún le aferraba el brazo—. Por iniciativa propia. Ha plantado a Logan y a los demás. Antes de que Nico fuera capaz de procesar esa información, Opal ya estaba delante de él. Sus miradas se encontraron, pero ninguno de los dos habló. Un silencio extraño se apoderó de la playa. Al final Opal lo rompió.

—Me alegro de que estés bien.

—Gracias. —A Nico le quemaban las mejillas por alguna razón—. Gracias, bueno... por venir a buscarme. Por intentar arreglar las cosas.

Nico se arrepintió de sus palabras de inmediato. Opal se volvió y comentó en voz baja que había que comprobar cómo estaban los remos o algo por el estilo. Nico tenía intención de disculparse, pero cambió de opinión. ¿Por qué debería pedirle perdón? Eso no era culpa suya. Opal era, en parte, la causa por la que ahora todos se encontraban allí abajo, totalmente empapados, en una isla inexplorada en medio de Still Cove.

—¿Has visto el dron por alguna parte? —le preguntó Tyler, que se presionó un lado de la nariz y se sonó con fuerza.

Por un instante Nico se quedó mirando perplejo a su amigo.

—¿Qué? No. No lo he visto.

Emma miraba hacia el bosque misterioso.

—¿Alguien sabía que aquí abajo hay una isla? Yo nunca he oído hablar de ella.

—Ni yo —apuntó Tyler—. ¿Crees que es muy grande?

Nico suspiró. Se estaba desinflando como un globo pinchado.

—Yo no he visto mucho más que vosotros. He estado todo el tiempo intentando nadar para no ahogarme. —No pudo evitar hablar con resentimiento mientras lanzaba a Opal una mirada matadora.

Opal dejó el remo que tenía en la mano y se volvió bruscamente para mirarlo a la cara.

—Oye, Nico, yo no he hecho volar tu juguete hasta la ensenada, ¿vale? Ha sido Logan. Yo he venido a ayudar. Esto no es culpa mía, o sea que deja ya de buscarme las cosquillas.

Nico perdió la calma.

—Si tienes remordimientos por lo que sea, eso es problema tuyo. —Se volvió hacia Tyler, pero habló lo suficientemente alto para que Opal lo oyera—. No, Ty, no he visto mi cuadricóptero. Lo más seguro es que nunca lo encuentre. Y para colmo he caído por un precipicio y he estado a punto de ahogarme.

Opal bufó, como si tuviera ganas de contraatacar, pero Emma se puso entre los dos.

—Tal vez no esté perdido. Logan ha hecho desaparecer el dron en la niebla, ¿eh?

Nico cogió aire para tranquilizarse antes de dirigirse a su amiga.

—Sí. ¿Y qué?

—Pues que puede que haya aterrizado aquí. —Emma señaló hacia los árboles—. Eso parece ser el centro de la ensenada. El dron podría estar por la colina, en perfecto estado.

Nico se disponía a replicarle con un «¿qué probabilidades hay?», pero Tyler se le adelantó.

—Es mejor que vayamos a echar un vistazo. Tenemos un bote, pero no tenemos ni idea de dónde estamos. —Observó la niebla con cara de preocupación—. Apuesto por subir al punto más alto. Así sabremos qué se ve desde allí. La otra opción es remar durante horas y horas, sin saber si encontraremos una forma de salir de aquí.

Nico echó un vistazo al bosque. No tenía muchas esperanzas de recuperar el dron; aun así, al mirar el bosque sintió una atracción extraña. Se estremeció, aunque la emoción lo sacudía por dentro.

Entonces Opal pasó por su lado muy decidida; iba derecha al bosque.

—¿Y bien? —dijo volviendo la cabeza hacia ellos—. La luz no es eterna. Alcanzó la primera hilera de troncos retorcidos y se adentró entre ellos.

—No entiendo a las chicas —murmuró Tyler.

Nico asintió con la cabeza, callado.

—Porque sois unos bobos —comentó Emma alegremente—. Pero Opal tiene razón.

Nico se apretó el entrecejo.

—Anda, vamos. Es capaz de encontrar el cuadricóptero en lo alto de un pedestal, y esto no nos lo vamos a perder.

Habían andado solo unos tres metros cuando la oscuridad del bosque los envolvió. Nico tropezó con una rama y por poco acabó en un riachuelo. Mientras se quitaba el agua de sus zapatillas deportivas, señaló la huella de un tacón que había impresa en el barro.

—Opal sigue este arroyo. Démonos prisa. Solo faltaría que nos perdiéramos.

A medida que avanzaban río arriba, el bosque era menos denso. Nico alcanzó a Opal en una elevación rocosa que sobresalía entre las copas de los árboles. La saludó con la cabeza, incómodo, y luego volvió la vista hacia atrás, por donde habían venido. Tan solo vio unas copas de árboles difuminadas por la niebla y, más abajo, retazos de la playa.

Sin abrir la boca, Opal reanudó la marcha. Juntos treparon por rocas muy irregulares, recubiertas de pinaza húmeda, maldiciendo los rasguños y una rodilla pelada. Nico se hizo un roto en la sudadera y la dejó en una roca cubierta de musgo. Opal se tambaleaba erguida en lo alto de la colina y miraba detenidamente al otro lado. Sus ojos se agrandaron y dio un grito ahogado.

Nico se unió a ella y siguió su mirada.

—Oh, ostras.

En medio de la isla había un estanque, un círculo de oscuridad de un negro azulado que engullía toda la luz de su alrededor. No había nada que se reflejara en su superficie. El agua estaba plana y calmada.

El estanque resultaba inquietante. Daba la impresión de que era un agujero en el mundo.

Además, había algo flotando en el estanque.

—Es una... casa —dedujo Opal.

Justo en ese momento Nico preguntó:

—¿Es una barca?

La estructura de tablones grises tenía dos plantas, con unas ventanas mugrientas y un amplio porche en la parte delantera. Tenía un aspecto regio y ruinoso a la vez, como si un hotel de lujo hubiera brotado del agua y hubiera sido abandonado a su suerte.

La antigua casa flotante, porque de repente Nico se dio cuenta de que eso es lo que era, parecía a la vez muerta y..., de algún modo extraño, viva. Como si esperara algo.

Emma y Tyler se unieron a ellos y los cuatro se apiñaron sobre la misma roca plana.

Todos se quedaron mirando, sin saber qué decir.

Nico volvió a experimentar esa sensación.

«Entra», parecía decir la casa.

«Ven a ver lo que te tengo preparado».

4

OPAL

«**V**en a ver lo que te tengo preparado».

Opal lanzó una mirada a los demás, pero todos tenían la vista fija en la casa flotante. Una sonrisa extraña asomó en las comisuras de la boca de Nico.

—Eh —empezó a decir Opal, pero fue incapaz de articular nada más.

—¿Deberíamos entrar? —A Emma le brillaban los ojos, aunque temblaba.

Apretando los labios, Tyler negó con la cabeza.

—No. Ni hablar. Sería nuestra muerte. Eso de ahí, esa casa flotante.

Una ráfaga de viento sacudió las ramas del árbol que tenían detrás, y Tyler saltó.

—También podríamos morir aquí mismo. —Opal se frotó los brazos—. De hipotermia.

Nico la fulminó con la mirada.

—Nadie va a morir. Pero quizá deberíamos ir a echar un vistazo. Puede que encontremos un mapa ahí dentro.

—O ropa seca —apuntó Opal.

—O el tesoro de un pirata. —Emma empezó a bajar la cuesta.

Tyler murmuró algo sobre los mejores escondrijos de la Bestia, pero aun así la siguió. Opal y Nico se encontraron en un largo prado que bordeaba el agua. Inhóspita e imponente, la casa flotante permanecía al acecho en el centro del estanque.

—Yo no voy a nadar ahí —dijo Tyler—. Ni soñarlo.

—No será necesario. —Opal señaló hacia la orilla, un poco más arriba. Una hilera de piedras llanas y grises se adentraba en el estanque, como un juego de rayuela que conducía a la casa flotante.

—Perfecto. —Tyler suspiró—. Es perfecto.

Siguieron la orilla hasta llegar al caminito de piedras. Emma saltó a la primera, abriendo los brazos para mantener el equilibrio.

—Vamos. Yo soy la más baja. Si yo soy capaz de hacerlo, los demás también.

—No es cuestión de ser o no capaz —protestó Tyler—. Se trata de si deberíamos hacerlo.

Pero ante la sorpresa de Opal, fue el siguiente en saltar, y se plantó en la primera piedra en el momento en que Emma saltaba a la segunda.

—Tú primera —le dijo Nico a Opal.

—Qué caballeroso por tu parte —respondió ella, enfatizando las palabras—. Pero no me importa ser la última.

Nico puso los ojos en blanco y siguió a Tyler. Opal esperó a que estuviera a medio camino para ponerse en marcha. No sabía por qué estaba tan furiosa, pero con aquello el enfado no se le pasó.

—¡Daos prisa, chicos! —Emma les hizo señas desde el porche delantero de la casa.

Cuando Opal alcanzó la última piedra, Nico le tendió la mano para ayudarla a saltar a la orilla. Ella la cogió, porque no quería caer. A pesar del aire helado y de la ropa mojada, tenía los dedos cálidos. Los peldaños destartalados de la casa flotante crujieron al pisar las maderas astilladas y la hojarasca. Opal temió que se le hundieran los pies.

«¿Qué es este lugar?».

—Echa un vistazo a esto. —Tyler señaló la entrada—. Qué raro, ¿no?

La puerta, con un marco de madera, era de un vidrio deforme y empañado, con burbujas de aire en su interior. Opal no logró ver nada a través.

—¿Una puerta de cristal en una casa flotante? —Nico torció la boca—. ¿A quién se le ha ocurrido semejante idea?

Emma se acercó a la casa y manipuló el pomo. Este no se movió.

Tyler se cogió las manos.

—Vaya, pues. Supongo que deberíamos dejarlo como está.

Opal se unió a Emma y juntas trataron de abrir la puerta. El pomo finalmente cedió con un chirrido y las chicas empujaron la puerta con los hombros. Al instante notaron un fuerte olor a rancio.

Opal dio un paso vacilante al interior del vestíbulo polvoriento. Delante había un arco lleno de telarañas del que colgaba una cortina verde de terciopelo. Oyó que la puerta se cerraba detrás de ella.

—Ostras —murmuró Emma—. Es flipante. Como nuestra propia *Noche en el museo*.

—La gente resulta herida en esas películas —farfulló Tyler con tono misterioso, pero incluso él parecía sobrecogido.

Opal fue hasta una pesada cortina y la echó a un lado. Se le cortó la respiración.

Delante de ella se extendía una habitación enorme, iluminada desde el techo por unas mugrientas lámparas de cristal. La discontinua luz del sol se desviaba al atravesarlas e iluminaba una variedad aleatoria de objetos extraños. Pinturas. Arcones de madera repletos de libros apergaminados. Cachivaches de todas las formas y tamaños. Unas fotografías antiguas con marcos colgaban torcidas de las paredes, algunas de ellas rotas. Un revoltijo de armas de época llenaban un ataúd abierto al lado de la puerta.

—Caray. —Emma se mordió la uña del pulgar.

El esqueleto de un animal pendía del techo; unos huesos nudosos se devanaban y enroscaban en un lazo, y terminaban con un cráneo alargado. Opal levantó la placa amarillenta que había pegada a la cola, pero la tinta se había borrado.

—Esto no es un museo —murmuró Tyler, que parecía inquieto—. Estamos en el desván de un psicópata.

—Está claro que es algún tipo de colección. —Nico

tocó ligeramente una cuerda roja deshilachada que había tendida entre dos palos sin lustre.

Caminaron hasta un pasillo central que dividía la sala, atiborrada de cosas. Emma señaló una gran caja en la que se leía «Mamá» en un lado. Dentro había algo reseco y marrón hecho un ovillo, como si quisiera evitar sus miradas.

—Parece cecina —dijo Nico examinándolo desde más cerca.

—¡Puaj! —Opal apretó los labios. ¿Por qué tenía que ser tan desagradable?

—Nos lo podríamos comer para sobrevivir —sugirió Emma alegremente. Opal se la quedó mirando, y ella se encogió de hombros—. ¿Qué? En una película que vi, *Selección natural*, lo hacían.

—No sé cuál es —aseguró Opal.

—No la conoce casi nadie. Pero es muy buena. Aunque da bastante asco, la verdad.

—Madre mía. Venid a ver esto. —Tyler miraba un arcón reforzado con unas bandas de hierro que estaba repleto de piedras preciosas relucientes—. ¿Podría ser que estos brillantitos fueran auténticos?

Nico sonrió con picardía.

—En ese caso, ¡somos ricos!

—¿Quieres cometer un robo? —Opal no lo podía creer. Habían encontrado un almacén lleno de cosas fascinantes, realmente espectaculares, y ¿pretendía robarlas?

—No todos nosotros vivimos en Overlook Row —murmuró Nico.

Opal se mordió el labio. Antes vivía a una manzana de

Nico, pero cuando el padre de él convirtió en un caso federal el tema de esas lechuzas, la gente se quedó sin trabajo. Ello permitió a sus padres hacerse con la gran casa amarilla que deseaban desde hacía años. Su propia madre había ejecutado la propiedad porque trabajaba en el banco.

De hecho, el traslado de Opal era en parte culpa de Nico, pensándolo bien. O, al menos, era culpa de su padre.

Opal cruzó la sala de exposiciones en busca de otra puerta. Hiciera frío o no, ese lugar le empezaba a dar escalofríos, como un museo de cera donde había estado en una ocasión en San Francisco. Tenía la sensación de que todo la observaba.

Un pedestal situado al fondo de la sala le llamó la atención. En lo alto había un gran recipiente con algo verde que flotaba en su interior. Picada por la curiosidad, Opal fue a investigar.

—¿Qué es eso? —preguntó Emma siguiéndola—. ¿Una de esas lámparas de lava antiguas?

—No lo sé.

Emma lo había descrito bien. Dentro del abultado frasco había... algo. Una masa verde lima que se movía. Sin pensarlo, Opal tocó el cristal con un dedo, como solía hacer en el acuario cuando era pequeña.

—¿Qué puñetas...? —exclamó Nico, uniéndose a ellas.

Emma lo agarró del brazo, con el rostro enrojecido por la emoción.

—Nico, este es el mejor sitio que hay en todo el planeta, y nadie más lo conoce. Reclamo para nosotros esta casa flotante. Es mía, tuya y de Ty. ¡Ahora tenemos un club! —Daba saltitos de puntillas, con los ojos muy brillantes.

A Opal se le hizo un nudo en el estómago. «¿También mía, ¿no?».

Esa pregunta la sorprendió. ¿Realmente era eso lo que quería? ¿Un escondrijo de lo más extraño a unos ocho kilómetros de la ciudad, compartido con tres muchachos con los que no salía nunca ni con los que ni siquiera hablaba?

«Sí», pensó tomando conciencia. Se había pasado casi todo el verano con Logan y sus amigos. Con la esperanza de que... ocurriera algo. Algo nuevo o distinto. Y ahora lo había encontrado.

Opal miró a Nico, y advirtió que él la observaba. Antes de que se le ocurriera algo que decir, Tyler exclamó desde el otro lado de la sala:

—¡Eh, al loro! El niño prodigio ha encontrado un mapa de Still Cove. Dice cómo podemos salir remando de esta pesadilla. —Recorrió el pasillo con aire despreocupado con un pergamino en las manos.

—Debemos irnos —propuso Nico, y Opal sintió que una puerta se cerraba de golpe entre ellos—. Mi padre llega esta noche y le va a dar algo si no estoy en casa a la hora de cenar.

—¡Buuu! —lamentó Emma—. Vale, de acuerdo. Pero volveremos. ¿Qué tal mañana? —Asintió con la cabeza para responderse a sí misma y, seguidamente, miró a Opal con una mirada llena de curiosidad. No era alentadora, pero tampoco maleducada.

Nico dio un resoplido.

—Como si pudiéramos impedírtelo.

—Regresemos a la ensenada. —Tyler se frotó los ojos—. Por favor. Acabemos de una vez con este paseo en barca.

—Todo irá bien. —Nico le dio a Tyler un empujón en el hombro—. Nada nos devoró la primera vez, ¿vale?

Tyler refunfuñó, pero Emma se rio por lo bajo. Incluso Opal dibujó una sonrisa. Todos se dirigieron hacia la puerta y dejaron atrás un tropel de huellas polvorientas y un tarro de un verde turbio y ondulante.

5

NICO

Otra vez había cereales fríos para desayunar.

A Nico no le importaba. Le gustaban los cereales, y su padre procuraba dejarle más de una caja cuando se iba. Lástima que la leche estuviera agria, por lo que Nico se los tuvo que comer solos. De todos modos, eso era mejor que nada.

Echó un vistazo al calendario que había colgado en la pared de la cocina. Su hermano se había ido a Gonzaga ese año y no regresaría a casa hasta el día de Acción de Gracias, lo que era un desahogo y, a la vez, un fastidio. Rob a veces era impredecible (a menudo le divertía restregar la cara de Nico en la alfombra), pero también solía ocuparse de llenar la despensa. Ahora era Nico quien lo debía hacer.

«Todo el mundo se me quedará mirando en el supermercado. Cuchicheando. Será divertido».

Nico desterró ese pensamiento tan desagradable. No había nada que pudiera hacer para remediarlo.

Dejó el tazón en el fregadero, cogió el viejo suéter Sonics de su hermano, que ahora era suyo, y se colgó su mochila raída. Después de apagar el televisor del pequeño cuarto, salió por la puerta lateral, que cerró con llave.

Su padre tenía que haber regresado por la noche, pero había descubierto algo en el límite de la vegetación arbórea que debía supervisar. Al menos eso era lo que decía su mensaje de texto. No era grave. En cualquier caso, cada día Nico se preparaba para ir al instituto.

Su madre había muerto cuando él tenía tres años, y no se acordaba mucho de ella. Solo la sensación de ser amado y arropado, una voz amable y, a veces, un rostro dulce. Evitaba ver fotos de su madre porque no quería que sustituyeran todo eso. Los recuerdos eran imprecisos, pero eran suyos. Nico quería que las cosas siguieran siendo así.

Durante años estuvieron los tres, un Holland grande y otros dos pequeños. Pero ahora Rob no estaba y su padre se pasaba todo el tiempo trabajando. Últimamente Nico tenía la sensación de que estaba solo.

Fuera el viento se había vuelto frío. En la casa de al lado, el señor Murphy barría las hojas del porche de delante. Sus miradas se encontraron cuando Nico salió y notó la expresión airada del anciano. Nico apartó la mirada mientras se apresuraba hacia la acera. El señor Murphy había sido jefe de turno en el aserradero antes de los despidos. Ahora ya no lo era.

Había siete manzanas hasta el instituto de Timbers. En

los últimos tiempos, parecía que había un millón. No todo el mundo se mostraba tan hostil como el señor Murphy, pero los vecinos lo observaban con un semblante grave desde sus casas de una planta. Ya nadie lo saludaba. Nico empezó a respirar más relajadamente en cuanto llegó al parque, tres calles más abajo. Los extensos prados y los árboles de hoja perenne eran un oasis de calma antes de las lindes tan peligrosas del patio del instituto.

Siempre había vivido allí. Timbers era una pequeña localidad maderera muy tranquila, enclavada entre los acantilados de Skagit Sound. Había tres calles anchas y dos semáforos, y todo se concentraba a la orilla de Otter Creek hasta el puerto. Demasiado aislada para convertirse en un verdadero destino turístico, Timbers dependía del tráfico ferroviario para mantener sus comercios abiertos, aunque a menudo ello suponía un gran esfuerzo. La situación había empeorado desde los recortes en el aserradero, pero Nico trataba de no pensar en ello.

Siempre intentaba no pensar en ello.

Más adelante, Nico vio el instituto y volvió a desanimarse. Miró a la derecha, hacia un callejón con una pronunciada pendiente que bajaba al puerto, y a la izquierda, hacia un camino de tierra que subía a la montaña. Cualquiera de las dos opciones sería mejor que ir al instituto. Hacer senderismo, pescar, observar aves. Lo que fuera. Sin embargo, su padre lo mataría si hacía novillos. Warren Holland no era consciente de lo que el instituto suponía para Nico, o tal vez prefería desentenderse. Nico no sabía qué era peor.

Con un enorme suspiro, se puso bien la mochila y se dirigió a la batalla.

Esquivó la multitud que se agolpaba en el patio y se escabulló en el interior del edificio, derecho a su taquilla. Por una vez no encontró ninguna sorpresa desagradable dentro. Nico cogió el libro de física. Era su asignatura favorita, y el señor Huang era el único profesor que parecía empatizar abiertamente con su angustia.

Cerró la taquilla. Dio media vuelta. Y por poco choca con Opal.

¿Acaso había estado esperando detrás de él? ¿O era pura coincidencia?

—Eh, Nico. —Opal levantó la mano y la enredó en su cabello negro reluciente. De pequeño a Nico le fascinaba el pelo de Opal, aunque normalmente su forma de demostrarlo era tirándole de la trenza y riéndose como un bobo mientras ella la emprendía a tortazos con él. De eso hacía ya mucho tiempo.

—Eh —respondió él.

El momento incómodo se alargó, y los dos miraron al suelo. Nico carraspeó, pero no dijo nada.

—¿Volveréis a la casa flotante más tarde? —espetó Opal.

Nico se encogió de hombros, sin saber muy bien qué responder.

—Todavía no he hablado con los demás, pero sé que Emma quiere volver. O sea que supongo que...

Se interrumpió, y Opal no se esforzó por llenar el vacío de nuevo. Nico cayó en la cuenta de que no habían hablado en el pasillo en todo el curso, ni quizá tampoco en el curso anterior. No estaba seguro de si le apetecía. Tenía la imagen de Opal montada en el cuatro por cuatro de Logan grabada en la cabeza. ¿Era una amiga, a fin de cuentas?

—Nico, quiero...

No tuvo ocasión de terminar la frase. Como si le hubiera leído el pensamiento a Nico, Logan apareció detrás de ella, custodiado a sus espaldas por Carson y Parker.

Nico apretó los dientes. Esa mañana había estado a punto de salir airoso, pero Opal lo había estropeado todo.

—¡Capitán Holland! —saludó Logan, lo que provocó la risa de sus esbirros—. Perdona por lo que ocurrió ayer con el dron. Soy un desastre haciendo volar artefactos. Tengo un cerebro de... de pajarito, ¿sabes?

Una provocación sin gracia; Nico estuvo tentado de burlarse de Logan, pero se mordió la lengua. Logan lo pincharía de algún otro modo. La mejor opción era mantener la boca cerrada y esperar a que sonara el timbre.

Nico miró a Opal, pero ella tenía la vista clavada en el suelo de linóleo. «Qué buena amiga».

—Espero que no fuera caro. —Logan buscó la mirada de Opal para asegurarse de que escuchaba—. Pero tengo para ti un avión de sustitución. —Del libro de texto sacó un avión de papel y desplegó sus alas endebles—. Ahora puedes pilotar este, ¿te parece? ¡Zum, zum!

Logan hizo un movimiento con los dedos y el avión salió disparado hacia el rostro de Nico, que lo apartó bruscamente con la mano. Carson y Parker rieron a carcajadas. Las manos de Nico se convirtieron en puños. Se imaginó el gustazo que sería arrearle un puñetazo a Logan en toda la boquita.

Nico se dio cuenta de que Opal lo miraba con atención. Vio su cara de lástima, y eso le hizo sentir aún peor. Durante un momento de pánico, Nico temió ponerse a llorar delante de ella. Bajó la cabeza y dio un paso, alejándose, pero Logan lo detuvo con la mano.

«Esto no se acabará nunca. Jamás».

Logan inclinó la cabeza.

—¿Pasa algo, hombre pájaro? ¿Se te han erizado las plumas?

—Logan, basta —susurró Opal.

Logan rápidamente volvió la cabeza hacia ella, entrecerrando los ojos. Nico aprovechó ese momento de distracción para abrirse paso con un empujón y echar a correr por el pasillo.

—¡Ya te pillaré, *scout* Águila! —vociferó Parker detrás de él.

Cuando Nico dobló una esquina, vio a Logan y a Opal hablar en voz baja. Carson y Parker estaban un poco más atrás jugando a ver quién empujaba al otro más fuerte. Nico se esfumó al instante.

Al cabo de veinte segundos se encontraba a salvo en la clase del señor Huang. Emma y Tyler esperaban ante el ordenador que los tres compartían. Su conversación se interrumpió en el momento en que Nico se dejó caer en el asiento y soltó el libro bruscamente sobre la mesa.

Tyler frunció el ceño.

—Logan, ¿no?

—No quiero hablar de esto.

—¿Y si le echáramos agua en el depósito de combustible? —sugirió Emma simulando un volante con las manos—. Adiós al cuatro por cuatro.

—He dicho que no quiero hablar. —Nico sentía rabia y vergüenza a la vez—. Dejadlo ya, ¿vale? —Le estaban bajando las pulsaciones, pero todavía notaba una punzada en la barriga. Pensó en Opal confraternizando con esos imbéciles y torció los labios con repugnancia.

—¿Hay algo que podamos hacer? —preguntó Emma en voz baja.

Nico suspiró, tapándose los ojos con la mano.

—No. Pero gracias.

—Bueno, sigue en pie el plan de ir a la isla después de clase, ¿vale? —Emma puso ojos de cachorrito—. Por favor. Será mi regalo de cumpleaños. Para los próximos siete años.

A Nico se le escapó la risa.

—Entendido. Pero tenemos que estar de vuelta antes de que anochezca. Mi padre no se escaqueará dos noches seguidas.

—¿Qué creéis que es realmente esa casa flotante? —Tyler echó un vistazo alrededor para asegurarse de que nadie escuchaba—. ¿Cómo diablos llegó hasta allí? Porque tengo el mal presentimiento de que es una colección flotante de juguetes estrafalarios abandonada.

—Es un misterio —accedió Emma, pero con un tono completamente distinto—. ¡Debemos resolverlo!

—Yo también tengo curiosidad. —Nico alzó la mano

para interrumpir a Tyler—. Echaremos otra ojeada. Y ya sabéis que tenéis ganas, o sea que dejad de haceros los remolones. Somos las únicas personas del planeta que saben que existe ese lugar.

—Vamos a ir a Still Cove a propósito. —Tyler negó con la cabeza a la vez que Emma levantaba el brazo en señal de triunfo—. ¿Cómo podemos ser tan estúpidos?

—No se lo digáis a Opal —dijo Nico bruscamente—. No le digáis nada de lo que hacemos. Esto es lo que hay.

Tyler se encogió de hombros. Emma frunció el ceño, pero asintió. Sonó el timbre, y pensaron en sus planes en el momento en que el señor Huang cerraba la puerta del pasillo.

«Otro día más», pensó Nico. «Una hora menos».

6

OPAL

«**M**e han dejado tirada».

Opal estaba frente a la boca de la cueva.

No había ni rastro de Nico, Emma o Tyler. Y, cuando examinó el agua, tampoco vio el bote de remos.

Tan solo quedaban unas pocas horas de luz natural, y sus padres pronto la echarían en falta. ¿Le daba tiempo de coger la canoa de su padre? ¿Podría remar hasta Still Cove o incluso encontrar de nuevo la isla si lo hacía?

«¿Por qué me han dejado tirada?».

El día antes habían amarrado el bote de remos a un poste hundido más abajo de la cueva y prometieron no decir nada a nadie. Había sido Opal quien había descubierto unas muescas escondidas en las rocas del acantilado que les permitieron escalar hasta el saliente desde el agua.

Lo habían hecho en grupo. «Juntos».

Y ahora la habían dejado tirada.

Buscó a los demás después de las clases; luego pedaleó hasta el descampado y encontró tres bicicletas colocadas una encima de otra. Así pues, bajó por aquella senda con una pendiente de infarto a través de la niebla y comprobó justo lo que temía. Que estaba sola.

Las lágrimas le quemaban bajo los párpados, pero se las aguantó. Se adentró en la cueva y se mojó la cara. Cuando terminó, le pegó una patada a la pared de roca y se ensució las zapatillas deportivas. No lograrían mantenerla al margen de eso. De repente, presa de un ataque de rabia, Opal le arreó otra patada a la pared. Le cayó tierra en la cabeza. «No seas imbécil. A ver si se va a derrumbar el techo».

Tenía que pensar. ¿Cómo podía llegar hasta la isla? «Encontramos un bote en esta cueva. ¿Y si hay otro?».

Opal se adentró un poco más para explorar la estrecha grieta donde había estado amarrado el bote. Cerca del fondo, una corriente de aire refrescó su piel. Con un sobresalto, Opal se dio cuenta de que había un rincón oculto. «Un pasadizo». La linterna de su móvil iluminaba lo suficiente para distinguir la siguiente curva.

Opal se quedó mirando la abertura durante unos segundos. Opal respiró profundamente. «¿Y por qué no?».

Entró en un túnel estrecho que olía a agua salada y a tierra húmeda. Avanzó por una bajada muy pronunciada que serpenteaba hacia delante y hacia atrás mientras se sumergía bajo tierra. Después de múltiples giros, el camino se allanó. Un túnel largo y recto se extendía delante de ella. Goteaba agua del techo.

El miedo se apoderó de Opal. Una voz interior clamaba: «¡Da media vuelta!», pero otra la acallaba y le susurraba: «Esto puede que te lleve adonde tú quieres». Trató de no pensar en los cientos de toneladas de roca y agua marina que había por encima de ella. El túnel debía de estar situado justo debajo de la ensenada.

Apretando los dientes, Opal empezó a caminar en la más absoluta oscuridad.

«Tú sigue adelante. Esto tiene que llevar a alguna parte».

En un momento determinado, el pasadizo se ensanchó y se convirtió en un espacio abierto, pero Opal lo cruzó a toda velocidad hasta que las paredes se volvieron a estrechar. Debía encontrar a los demás. Estaba cansada de ser la oveja negra, el último mono. No formaba parte de la vida de sus padres, de sus ocupaciones en el trabajo y de su obsesión con la casa nueva. Y era una intrusa en el grupo de Logan. Él no dejaba de invitarla a sitios, pero ella sabía que a Parker y a Carson les molestaba. Desde que Melissa, su mejor amiga, se trasladó a Seattle el año pasado, Opal tenía la sensación de que vagaba entre los estrechos círculos de todos los demás. Y ahora solo le faltaba eso.

El túnel acababa al pie de una escarpada rampa. Opal subió corriendo otra serie de curvas muy pronunciadas hasta llegar a otra cueva, más pequeña. Fuera, unas zarzas cubrían el fondo de un barranco.

Opal ya sabía dónde estaba. Había acertado.

Se encontraba en la isla de Still Cove.

Opal subió por la pared empinada. Desde lo alto, vio

el oscuro socavón del estanque y su enigmática casa flotante.

Opal sonrió con malicia.

Tenía un secreto.

Opal abrió de un empujón la puerta principal de la casa flotante, cruzó el vestíbulo con paso decidido y abrió la cortina de terciopelo. Encontró a los demás agachados ante un viejo baúl de madera.

—Hola a todo el mundo.

Casi se alegraba de que la hubieran marginado.

A Tyler se le salieron los ojos de las órbitas.

Emma abrió la boca de par en par, estupefacta.

Nico se irguió como una navaja automática.

—¿Se puede saber qué haces tú aquí?

—Tengo el mismo derecho que vosotros a estar aquí. —Opal habló con serenidad, aunque el corazón le martilleaba en el pecho—. Deberíais haberme invitado a ir con vosotros.

—¿Cómo has llegado hasta aquí? —Emma parecía más asombrada que enfadada.

—Tengo mis trucos —respondió Opal, que trató de sonar críptica y natural a la vez. «Que le den vueltas al tema».

Tyler levantó las cejas como si estuviera impresionado, pero Nico replicó con tono amargo:

—No te hemos invitado adrede. No puedes venir aquí como si nada y decirnos lo que debemos hacer.

—No podéis mantenerme al margen —rebatió Opal.

Tyler empezó a avanzar por el pasillo.

—Bueno, yo me... voy... de aquí. Igual busco un lavabo. —Lanzó una mirada a Emma—. ¿Me ayudas?

Emma negó con la cabeza.

—No, gracias. Yo he ido al baño antes de salir.

«Qué raro que no lo haya pillado», pensó Opal. Tyler y Emma eran uña y carne desde el segundo curso, cuando la familia de Emma se mudó a Timbers y abrió una pequeña tienda de deportes. «¿Por qué le da largas ahora? ¿Acaso quiere ver unos fuegos artificiales?». Opal no entendía su actitud.

—Tú no formas parte de nuestro grupo. —Nico se cruzó de brazos, negándose a mirar directamente a Opal—. Este lugar no cambia las cosas.

«Vaya». Opal pensó en todas las veces en que Nico y ella habían jugado de pequeños, construyendo fortines con almohadas en el cuarto de Nico o acampando en el patio trasero de la casa de Opal. A veces habían dado vueltas a toda velocidad montados en bici alrededor de la fuente que había en la plaza del pueblo hasta marearse, mientras decían a gritos que un agujero negro los había engullido. Se dejaban caer en la hierba y hacían turnos para imaginar los nuevos mundos que les aguardaban en el otro lado de la galaxia.

Esa casa flotante era lo más parecido a un nuevo mundo que Opal era capaz de imaginar.

Nico Holland no se lo iba a estropear.

Se le ensancharon las ventanas de la nariz.

—Escucha. No quiero discutir contigo, pero...

—¡Me cago en la leche! —chilló Tyler, pero no se le veía. Su voz sonó apagada, como si viniera desde otra habitación—. ¡Eh, venid a ver esto!

—Déjalo, Ty —gritó Nico—. Nadie quiere saber nada sobre tus... asuntos.

—No es un lavabo. —La cabeza de Tyler asomó por detrás de un panel de la pared—. Es algo aún más extraño.

Emma se sobresaltó.

—¿De dónde has salido?

Tyler arqueó las cejas.

—He encontrado una puerta falsa. Creo que hay un sótano.

—Las casas flotantes no tienen sótanos —replicó Nico.

—Pues esta sí. ¡Venid! —Tyler volvió a desaparecer.

—¡Una puerta secreta! —chilló Emma, dando palmadas mientras corría al otro lado de la estancia.

Opal pasó por al lado de Nico e ignoró su sonora respiración mientras ella daba la vuelta al pedestal con ese frasco tan extraño. Ese lugar le pertenecía, daba igual lo que pensara Nico. No podía excluirla de eso. «No lo voy a permitir».

Los paneles de madera de la pared encajaban a la perfección, pero, cuando Opal presionó sobre la hoja que había indicado Tyler, se abrió de repente y dejó al descubierto una escalera de caracol de hierro forjado.

—Ostras. —Emma encendió la linterna del móvil y la enfocó a la escalera.

Tyler, que ya había empezado a bajar, se volvió ligeramente, como si escuchara.

—¡Aquí debe de ser donde guardan las cosas de valor! —exclamó Emma, que se plantó de un salto en la escalera.

—Espera. —Tyler extendió un brazo para detenerla—. ¿Primero no deberíamos asegurarnos de que no hay peligro?

—Eso es lo que voy a hacer. —Emma se escabulló por su lado—. Un control de seguridad.

Nico echó a correr y adelantó a Opal, y así se unió a Tyler en la escalera. En fila india, bajaron detrás de Emma. Abajo, una luz difusa iluminaba una estancia que era la mitad de grande que la sala de arriba.

—¿De dónde viene esa luz? —preguntó Opal.

Nico se encogió de hombros.

—¿Estamos debajo del agua ahora? —Tyler daba toquecitos frenéticos con un pie al suelo.

—Seguro —respondió Opal—. Tenemos el techo a más de tres metros por encima de nosotros.

No hubo más discusiones sobre quién debía estar allí. No en un lugar en el que, presentían, ninguno de ellos debía estar.

Opal descubrió una sombra en el centro de la sala. Un círculo negro sobre las tablas del suelo.

Emma lo enfocó con la luz. Todos se aproximaron y se detuvieron apiñados justo en el borde.

—Parece... agua —susurró Tyler.

—Una especie de pozo —murmuró Nico—. O de charca.

En un agujero situado en la parte inferior de la casa flotante, un líquido negro brotaba lentamente, como agitado por unas manos invisibles. El agua negruzca topaba con un resalte de madera bajo que había alrededor de la abertura, pero no rebosaba por encima.

La charca simplemente... daba vueltas. Sin cesar. Implacable.

La mente de Opal hervía con un millón de preguntas. ¿Formaba eso parte del estanque? ¿De la ensenada? ¿Por qué se arremolinaba el agua? ¿Por qué no se desbordaba e inundaba la sala? Pero ¿era realmente agua?

Solo había dos cosas que sabía seguro.

Esa charca era lo más oscuro que había visto jamás.

Y era también muy profunda.

7

NICO

—No ha salido ninguna —lamentó Emma en la cantina, masticando un Dorito.

Dio un pequeño empujón al móvil, que se deslizó sobre la mesa hasta Nico, sentado frente a ella. Él miró las fotos con los ojos entornados. Era cierto: todas las fotos que Emma había tomado de la charca estaban borrosas. Era como si el agua no quisiera que la fotografiaran, aunque Nico sabía que eso era una locura.

«¿Hasta qué punto es una locura? Sentiste esa cosa. No tanto como Opal, pero la sentiste».

Se habían quedado de pie delante del agujero, en silencio, maravillados por el remolino de líquido negro. Entonces Opal había dado media vuelta bruscamente y había echado a correr hacia la escalera. Tyler la había seguido al instante, escalones arriba, y de pronto Nico tampoco había querido estar ahí abajo.

Solo Emma resistió, y echó unas cuantas fotos antes de seguir a los demás a regañadientes. Mientras subía las escaleras, Nico notó unos ojos que lo observaban por la espalda y que no eran los de su amiga, algo que sabía que era imposible pero de lo que también era imposible librarse.

Opal había cruzado la sala de exposiciones y el vestíbulo, había salido como una exhalación por la puerta principal y se había apresurado a pasar por el caminito de piedras. No se detuvo hasta que no hubo dejado atrás el estanque, con las manos en las rodillas y la frente brillante por el sudor.

Habría resultado cómico si Nico no hubiera tenido la misma sensación. Una especie de pánico extraño se había apoderado de él, ahí abajo, en la oscuridad. Se había sentido... pequeño. Vulnerable. Como un conejo que detecta la presencia de un gato y sabe que se ha alejado demasiado de la madriguera.

—Había poca luz —comentó Tyler, toqueteándose la oreja—. Por eso las fotos han salido así. Me pregunto si debe de ser muy profundo, el pozo.

—Sí, mucho —aseguró Emma muy seria—. Y muy oscuro. Eso es lo que Opal no dejaba de decir cuando intentaba calmarse. Oscuro, profundo, oscuro, profundo. Una y otra vez.

Nico notó un escalofrío en la nuca. Él también había oído a Opal.

—Hacía frío abajo. —Nico se estremeció al recordarlo—. Además, no entiendo cómo puede haber un sótano. Las casas flotantes suelen ser planas por la parte inferior, sin apenas calado. ¿A quién se le ocurriría construir un barco que en su mayor parte estuviera sumergido? Es como un iceberg. No lo podrías mover, fijo.

—¿A quién se le ocurre poner una casa de los horrores flotante que se cae a trozos en un estanque horripilante en mitad de una isla desierta? —Tyler abrió las manos—. Todo es una locura. Creo que deberíamos olvidarnos de todo esto.

Emma negó con la cabeza y volvió a centrarse en el tema.

—Creo que la casa flotante está donde está porque allí abajo hay Otromundo. Este debe de ser el motivo. Si no, no se entiende.

Tyler se llevó las manos a los ojos y gruñó.

—No me digas que le has puesto un nombre. Ahora sí que nunca nos libraremos de él.

Emma arqueó una ceja, incrédula.

—¿Deshacernos de él? Bromeas, ¿no? ¿Acabamos de descubrir, por decirlo así, lo mejor que hay en el mundo y tú quieres hacer como si no existiera? ¿De verdad que no te mueres de curiosidad por saber qué es ese pozo? ¿No te diste cuenta de que el agua se movía continuamente?

—¡Claro que me di cuenta! —Tyler se desplomó en la silla y echó la cabeza hacia atrás para mirar al techo—. Quedé aterrorizado. Esta noche no he dejado de soñar con eso, pero resulta que el pozo...

—Otromundo —puntualizó Emma.

—... estaba dentro de la taza del váter de mi casa, y no tenía elección. —Sus facciones se crisparon al recordarlo—. Cuando me he despertado estaba chorreando de sudor.

—Sea lo que sea ese pozo —Nico alzó la mano para anticiparse a Emma—, Otromundo, tengo la impresión de que lleva mucho tiempo allí. Igual siempre ha estado allí.

—¿Por qué gira? —articuló Tyler despacio, estrujándose la frente—. Es que no lo entiendo.

Nico hizo una mueca.

—Tal vez haya una grieta en el fondo del estanque. Eso explicaría la existencia de un remolino. Podría ser que el agua dulce se filtrara al interior de la ensenada.

Tyler asintió con aire vacilante. Emma lanzó una mirada escéptica a Nico.

—Ya, pero ¿no notaste la forma tan extraña en que giraba? —observó ella—. Como en cámara lenta, casi. No parecía lo bastante rápido para ser un remolino.

—Puede que sea por el agua salada de la ensenada —arguyó Nico a la defensiva. No tenía una buena respuesta, pero estaba decidido a creer que la había. De lo contrario, su mente llegaba a conclusiones que lo asustaban.

—Debemos descubrir todo lo que podamos sobre Otromundo —insistió Emma, tamborileando con el índice sobre la mesa—. Alguien debe de saber algo de él. ¿Y si probamos suerte en la biblioteca?

Tyler resopló y tomó un sorbo de leche antes de responder:

—¿Crees que la vieja señora Johnson tiene un libro titulado *Las casas flotantes secretas de Still Cove*?

Nico se rio por lo bajo.

—Estoy totalmente de acuerdo con Tyler. Esa sala de exposiciones estaba enterrada bajo una gruesa capa de polvo. Hace años que nadie ha puesto los pies allí. Y correrían rumores por todo Timbers si alguien la hubiera visto.

—De todos modos, deberíamos ir a echar un vistazo. —Emma empezó a morderse un mechón de pelo rubio rizado—. La casa flotante debe de haber salido de alguna parte. ¿Y si figura en un registro de buques? ¿O quizá en algún diario de a bordo de quienquiera que la construyó?

Nico asintió con la cabeza, mordisqueando una zanahoria.

—Vale, tienes razón. No perdemos nada por intentarlo.

—Vaya, hombre. —Tyler negó con la cabeza—. Te doblegas a la primera, Holland. Como una baraja de cartas. O una silla plegable.

—Pero es que tiene razón. Alguien debe de haber recopilado todo eso en alguna parte. ¿No te gustaría saber quién? ¿Y por qué?

Tyler suspiró con exageración, pero asintió con la cabeza.

Emma abrió la boca. La cerró. La abrió de nuevo.

—Creo que deberíamos contar con Opal.

Nico alzó la cabeza bruscamente.

—De eso ni hablar.

Emma alzó la palma de una mano.

—Escúchame un momento.

—Ya te dije que se opondría —murmuró Tyler con voz cantarina.

Emma fulminó a Tyler con la mirada y luego volvió a centrarse en Nico.

—Te guste o no, Opal lleva razón. Estaba allí cuando encontramos la casa flotante, o sea que tiene el mismo derecho que nosotros a explorarla. Si no, considéralo desde este punto de vista: ¿qué ocurriría si se rebota porque no contamos con ella y decide traer a otras personas para no estar sola?

Nico sintió un escalofrío por todo el cuerpo. Ya sabía a qué gente se refería Emma.

Le vino un recuerdo a la mente: Opal, encorvada y con los brazos aferrados en las rodillas tras haber huido de la casa flotante. El colapso le había durado muy poco, pero Nico estaba convencido de que había vivido algo allá dentro, en la oscuridad, al lado de esa charca cuya agua no paraba de girar.

¿Y si ni siquiera quería regresar? Y él, ¿quería?

—Todavía no entiendo cómo se las apañó para llegar a la isla —reflexionó Tyler.

Nico frunció el ceño. Él tampoco tenía ni idea, y Opal se había negado a explicárselo. Con aires de suficiencia.

—Yo solo digo que lo pienses. —Emma bajó la voz—. No creo que Opal quiera comportarse como una imbécil. Sé que se siente mal por... lo que ocurrió ese día.

La lástima que había sentido se esfumó en un abrir y cerrar de ojos. A Nico aún le corroía por dentro la imagen de su dron desapareciendo en la niebla.

—Lo pensaré —fue lo único que logró decir.

—Bien. —Emma se reclinó en la silla—. Por cierto, ¿habéis oído los planes que tiene la ciudad?

Nico negó con la cabeza, cautivado por el cambio de tema.

—Un festivalazo del rábano. —Emma se rio tontamente—. Para atraer el turismo.

—¿Un qué? —Nico se encogió como avergonzado.

—¿Por qué? —Tyler solo parpadeó, confuso.

—Es la hortaliza oficial de Timbers —aclaró Emma parodiando un tono amonestador—. ¿Os acordáis? Lo estudiamos en segundo. Por todas las granjas que cultivaban rábanos a las afueras del pueblo.

—Pero ¿una fiesta del rábano? —Tyler se pasó una mano por la cara—. Oh, Dios, qué penoso.

—Tú dirás —accedió Emma—. Y lo montan a lo grande. Harán un concurso, un desfile y no sé cuántas cosas más en la calle principal. Y todo girará alrededor de los rábanos. Parece de lo más ridículo.

—Eh, un poco de respeto —bromeó Nico—. No puedes preparar tacos con rábanos sin rábanos.

Tyler resopló, pero entonces dirigió la vista hacia la puerta. Una palabrota escapó de sus labios. Nico se volvió. Logan caminaba hacia él con un brillo malicioso en la mirada.

«Dios. Otra vez no».

—¡Eh, aviador! —Logan se detuvo justo detrás de Nico e, irguiéndose cuan alto era, habló lo suficientemente alto para que le oyeran todos los de la mesa—. ¿Ya has hecho las maletas?

Nico arqueó las cejas. Aunque no sabía de qué se trataba, eso no era lo que él esperaba.

—¿Qué maletas?

—Para el traslado —repuso Logan con total naturalidad. Entonces se inclinó hacia Nico y le espetó al oído como susurrándole—: ¿O acaso no lo sabes?

Nico giró sobre sus talones con torpeza para ver a Logan de frente. Tyler, al otro lado de la mesa, frunció el ceño. Emma aferraba la bandeja con tanta fuerza que tenía los nudillos blancos.

—Di lo que hayas venido a decir —murmuró Nico, resignado a otra humillación en público.

Logan adoptó una expresión triste, pero no pudo evitar que la alegría se le notara en la voz.

—Solo quiero desearte suerte, adonde sea que vayas con tu familia. Es duro que te trasladen, lo sé, pero forma parte de la vida de los guardas forestales, ¿no es así, colega? Te irá bien en Alaska o donde sea que haya árboles que necesiten mimitos.

Nico parpadeó, incapaz de procesar esa provocación.

—¿Se puede saber de qué hablas?

Logan se rio satisfecho.

—Ah, ostras. Supongo que tengo que ser yo quien te dé la mala noticia. —Le dio una palmada a Nico—. Mi padre hizo unas llamadas la semana pasada. Tu padre no es muy popular por aquí, salvo quizá entre las lechuzas. Todo el mundo está de acuerdo en que estaría mejor en otro parque, en algún lugar lejos de Timbers.

Nico se quedó blanco.

—Eso no... eso no es...

—Pues nada, buen viaje. —Logan apretujó el hombro de Nico mientras pronunciaba esas palabras tan mordaces—. Tu padre no debería haberse metido con mi familia.

Ha aprendido la lección, pero para ti es demasiado tarde. Nos vemos. —Dio media vuelta y abandonó la cantina dando grandes zancadas, encendiendo un reguero de susurros.

A Nico la cabeza le daba vueltas. Le flaqueaban las rodillas. ¿Irse? ¿De Timbers? Emma y Tyler estaban de pie, hablando, pero no les oía. No podía más. Tenía que salir de allí. Todo el mundo lo miraba.

Nico empujó la silla a un lado y salió corriendo del edificio.

Al cabo de quince minutos estaba en casa. El viejo y destartalado coche de su padre estaba en el camino de la entrada, lo que alivió y aterrorizó a Nico al mismo tiempo. Se lo encontró en la cocina comiéndose un *bagel*. Había bolsas de comida esparcidas por la encimera.

Warren Holland levantó la vista con el entrecejo fruncido.

—¿Nico? ¿Por qué no estás en el instituto?

—¿Es verdad?

—¿Qué es verdad? —replicó su padre. La preocupación acentuó sus facciones—. ¿Por qué estás tan alterado? Siéntate. ¿Tienes apetito?

Nico no se movió.

—¿Es verdad, papá? ¿Te trasladan?

—¿Quién te ha dicho eso? —El rostro de su padre permanecía impasible—. No, Nico, no he recibido ninguna orden de traslado esta semana. Aun así, trabajo para el Gobierno, hijo, y a veces necesitan gente en distintos emplazamientos. Se suelen hacer inspecciones de departamento, y esta no es distinta de las demás. No me corresponde preguntar a mis jefes. Ni a ti tampoco —añadió con énfasis.

—¿Una inspección? —Nico notó que algo se desgarraba en su interior—. ¡Pero solamente la han hecho porque el padre de Logan se lo ha pedido!

La voz de Warren Holland se volvió más incisiva.

—Sylvain Nantes no pinta nada en mi trabajo. Yo trabajo para el servicio de parques, y sanseacabó.

Nico tenía ganas de gritar. De romper cosas y de berrear.

—¡Eso no es justo! Tengo amigos aquí, papá. ¡No quiero irme!

Su padre se puso en pie, enderezando sus casi dos metros de estatura. Tenía una expresión gélida.

—Ya basta. Eres un niño. Estos asuntos no te incumben. Aquí he hecho un buen trabajo, pero lo puedo hacer en cualquier otro lugar con la cabeza bien alta si eso es lo que deciden mis superiores. Ahora regresa al instituto antes de que pierdas alguna clase. Te espero para cenar.

—Pero...

—Nada de peros. —Su padre señaló la puerta—. Vete. Ahora.

Tragándose un millar de cosas que quería decir, Nico salió furioso de casa.

8

OPAL

—Eh, Opal. —Kathryn Walsh le alargó un frutero por encima de la mesa—. Come algo.

Opal le hizo caso y cogió una manzana.

—¿Tenemos para mucho rato, mamá? Debo hacer un montón de deberes.

El mensaje que su madre le había enviado decía:

Ven al banco después de clase. Tenemos que hablar. NN.

«NN» quería decir «no negociable». Su madre lo usaba mucho más de lo que era preciso, pero para Opal pasar de esa sigla significaba meterse en un lío.

—Quiero hablar del Ciudadano del Rábano —desveló Kathryn.

—¿De qué? —masculló Opal.

Su madre parecía la misma de siempre: con una blusa y

una falda, sus pendientes de oro, y con su expresión encantadora y despierta. Sin embargo, tal vez la tensión que le suponía dirigir el Timbers Bank & Loan finalmente había hecho mella en su persona.

—En la fiesta del rábano se organizará un concurso —explicó su madre—. Pueden participar jóvenes de doce a dieciséis años, y buscan los mejores líderes promesa de Timbers. También habrá una muestra de talentos.

Parecía que había memorizado un comunicado de prensa.

Opal se dejó caer en la silla.

—Suena bastante cursi.

—Pues te equivocas —le corrigió su madre con tono severo—. El concurso será inclusivo e inteligente, y no se tendrá en cuenta el aspecto físico.

Opal no puso los ojos en blanco, pero le faltó poco.

—Espectacular.

—Sí, realmente espectacular. —La palabra sonó ridícula cuando su madre la pronunció—. Ser coronado Ciudadano del Rábano causará muy buena impresión en una solicitud para ingresar en una universidad.

Opal dejó la manzana en la mesa.

—Oh, no.

—Oh, sí. —Su madre le pasó una hoja de papel—. Esta es tu solicitud. La repasaremos esta noche cuando llegue a casa.

Opal empezó a protestar, pero adivinó un «NN» en los ojos de su madre. Suspiró.

—¿Puedo irme ahora?

Después de conseguir lo que quería, Kathryn Walsh sonrió.

—Claro. De todos modos, parece que te están esperando.

Opal se volvió. Logan estaba de pie frente a la ventanilla con una piruleta de la entidad, una de esas que supuestamente te dan solo cuando haces un ingreso. Puf. Lo había estado evitando a toda costa desde el incidente con Nico.

—¡Anda, humo! —le dijo su madre.

Estaba encantada con la familia Nantes al completo porque tenían una fortuna depositada en el banco, vivían en la mejor casa de Overlook Row y cada año invitaban a la empresa a una fiesta por todo lo alto. Opal salió dando grandes zancadas del despacho de su madre y fue derecha a la puerta principal.

Ya tenía un pie en la acera cuando Logan asomó la cabeza.

—¡Opal! —exclamó, ofreciéndole una sonrisa vacilante.

Ella siguió andando.

—Espera un segundo. —Logan aceleró el paso para alcanzarla—. Eh, ¿por qué te comportas como una estúpida?

Opal giró sobre sus talones, con la respuesta ya preparada.

—¿Ah, soy yo, la estúpida? ¡Por tu culpa Nico se cayó al fondo de Still Cove!

—¿Qué? —Logan la miró con los ojos entrecerrados—. ¿Se puede saber de qué hablas? Yo mandé su juguetito de pacotilla a la niebla.

Opal se estremeció. Lo había olvidado: Logan no sabía que Nico se había precipitado al vacío, y por supuesto a Nico le sabría mal que se hubiera enterado.

—Ese juguetito de pacotilla que dices tú le costó todos sus ahorros —replicó Opal, con la esperanza de que Logan hubiese pasado por alto su metedura de pata. Retomó la marcha a toda prisa, pero Logan la siguió.

—¿Y a ti qué te importa? ¿Acaso estás colada por él o qué? —La mandíbula de Logan se endureció y con una voz suave y perversa añadió—: Es un desgraciado.

—No, no lo sé.

—Se va, de todas formas. ¿No te has enterado? Trasladan a su padre.

Opal se detuvo.

—¿Qué? ¿Quién te lo ha dicho?

Estaban delante de la tienda de alimentación Brophy, con un toque de mercado rural y letreros escritos a mano. Una pancarta gigante que decía CELEBRA LA FIESTA DEL RÁBANO ocupaba todo el escaparate.

—Mi padre. —Logan no pudo reprimir una sonrisa burlona—. Seguro que se está ocupando de todo.

Una trampilla se abrió muy adentro de Opal.

—Él no puede hacer eso.

—Oh, te sorprenderías.

Logan estaba de espaldas a la tienda, pero Opal veía gente dentro. «Justo lo que necesito». A su madre le daría un ataque si montaba un numerito en público.

Opal ofreció a su público una sonrisa falsa de oreja a oreja.

—A veces puedes ser un perfecto imbécil, Logan. Adiós.

Y se fue sin mirar atrás.

Nico se abrió paso entre la cortina de terciopelo.

—La próxima vez que llegues tarde, nos iremos sin ti, Opal.

La había ignorado por completo hasta ahora, ya que no le había dirigido la palabra mientras cruzaban Still Cove a remo.

—Perdón —dijo Opal—. Mi madre quería hablar.

—¿Cómo llegaste aquí ayer? —Emma se lo preguntó con un tono como si no le diera importancia, pero Opal sabía que estaba ansiosa por saberlo.

—Utilicé el teletransportador —respondió Opal alegremente. Se aguantó una sonrisa mientras los demás se miraban unos a otros. Ellos tenían sus secretos. Era justo que ella también tuviera uno—. Así pues, ¿qué planes tenemos para hoy?

Nico caminó hasta el otro lado de la sala de exposiciones.

—Emma, Tyler y yo vamos a estudiar la colección. Tú puedes hacer lo que te plazca.

—Empezaré un inventario. —Tyler se sacó un lápiz del bolsillo de los tejanos y apuntó a un libro de tapas de cuero—. Un catálogo de todo lo que haya en la casa flotante. ¿Me queréis ayudar?

Nico lo fulminó con la mirada.

—¡Vale! —accedió Opal simulando que no se había percatado de que Nico estaba molesto. «Se volverá loco si Tyler y yo empezamos a llevarnos bien». Además, cualquier cosa era mejor que visitar de nuevo la charca. Aunque... en cierto modo le apetecía.

—Perfecto. —Tyler se frotó las manos como un villano de dibujos animados—. ¿Nico? ¿Emma?

—De acuerdo —rezongó Nico, que se arrodilló para examinar una jaula de alambre que había en el rincón.

—Pues claro, Ty. —Emma hizo crujir los nudillos—. Solo un rato. ¡Pero luego volvemos a Otromundo!

Tyler abrió el libro encuadernado en cuero con un ademán.

—¡He aquí... nada! ¡Precioso!

Opal soltó una risita.

—¿Está todo en blanco?

—Sí. —Tyler tamborileó con el dedo sobre la primera página—. Pero mirad estas líneas y columnas. Estoy convencido de que es algún tipo de diario de a bordo. Quizá lo podríamos usar para apuntar nuestras cosas.

Nico se unió a ellos, aunque su postura denotaba una clara desgana.

—¿Por qué tenemos que hacer esto ahora?

—Porque así sabremos qué hay aquí —alegó Tyler con voz afectada—. Para que lo podamos valorar.

Opal estaba totalmente de acuerdo. Si entendían mejor la colección, tal vez lograrían concebir su sentido o averiguar quién había sido su artífice. Cogió una caja de cristal que contenía alguna clase de garra.

—¿Empezamos con esto?

—¿Por qué no? —A Tyler le chispearon los ojos—. Lo clasificaremos todo en categorías, y luego haremos subcategorías...

—Quieres acabar conmigo, Ty.

No obstante, Nico levantó un cesto de mimbre estropeado y miró en su interior.

—Adelante, Opal. —Tyler lamió el extremo del lápiz—. ¿Qué crees que debería anotar?

—Es una garra negra. Petrificada. Probablemente de un ave. Eso es todo.

—Fantástico. Déjala en el armario que tienes detrás. Le pondremos la etiqueta *Estante 1A*. —Se sacó un bloc de pósits del bolsillo. El chaval era un almacén de material con patas—. Cuéntame, Nico, ¿qué es lo que tienes?

—Yo lo describiría como un zurullo fosilizado.

—Qué asco. —Opal arrugó la nariz—. No seas ordinario.

—No. —Nico mostró una masa marrón endurecida—. Lo creo de verdad.

—¡Córcholis! —Tyler hizo un sonido como si le dieran arcadas—. Haz el favor de dejar eso donde lo dejaste.

—Déjalo en el estanque. —Opal miró a Emma en busca de apoyo, pero no había ni rastro de ella—. ¿Adónde ha ido Emma?

—Abajo, probablemente. —Tyler cogió algo como disecado del suelo—. Está obsesionada con la charca. Le ha puesto el nombre de Otromundo.

Otromundo. Al oír esa palabra, a Opal se le puso la piel de gallina.

—¿No debería ir alguien con ella? —dijo—. No sé, es más seguro ir en grupo, ¿no?

—A Emma no le pasará nada —le espetó Nico—. No es estúpida. Ninguno de nosotros lo es.

Opal volvió la cabeza. Ya sabía que no eran estúpidos. Nico se comportaba como un idiota. Y, en realidad, ella no creía que alguien no pudiera estar solo al lado de la charca. Se dirigió hacia la escalera, pero, al pasar por al lado de una serie de fotografías antiguas colgadas en la pared, se detuvo. Las fotografías se habían tomado en distintas épocas y lucían marcos diferentes, pero todas tenían algo en común.

Al principio pensó que eran sus ojos. Las fotografías más antiguas tenían la típica mirada anquilosada de esa época, pero también había algo raro en las más recientes. Entonces cayó en la cuenta: las personas no miraban a la cámara. Puede que no miraran nada en concreto. Tenían la mirada perdida. Casi como si miraran... más allá. Sucedía en todas las imágenes, aunque sin duda había décadas de diferencia entre unas fotos y otras. A Opal le resultó desconcertante.

Pero eso no era todo. Cada individuo llevaba un collar grabado con un diseño en espiral.

—¿Vas a ver cómo está Emma o no? —vociferó Nico desde el otro lado de la sala, y ella se asustó.

Sacudiendo la cabeza, Opal fue hasta la parte superior de la escalera.

—¿Emma?

—¡Aquí! —respondió ella alegremente.

Opal tragó saliva y empezó a bajar, agarrándose fuerte a la barandilla. Emma empezó a hablar en cuanto Opal llegó al pie de la escalera.

—Creo que es agua dulce normal y corriente —informó Emma—, o algo muy parecido. Pillé unas tiras de pH en la clase del señor Huang y he hecho un test.

Opal la miró sorprendida.

—Ah, vale.

Emma estaba arrodillada al lado de la charca. Movía la mano por encima del agua oscura.

—No hay ningún reflejo, lo que es superextraño, porque aquí abajo sí hay luz. No sé de dónde viene. Y este líquido brilla, de todos modos. Pero no se refleja. ¿Cómo se entiendc?

—No la toques —la advirtió Opal. Sentía un hormigueo en la piel, como si allí hubiera electricidad estática.

—¿Por qué diablos gira? —Emma se mordió el pulgar. Entonces levantó las piernas de un salto y se quitó un calcetín y un zapato.

Opal se quedó helada

—¿Se puede saber qué haces?

Emma no respondió. Acercó un pie al agua rotatoria.

—Emma, no. —Opal se acercó un poco—. Para. No sabemos qué es.

—Solamente quiero comprobar una cosa. Si la superficie es...

Emma sumergió el dedo gordo del pie.

El agua se quedó quieta.

Opal sintió que una descarga atravesaba su cuerpo.

—Emma, retro...

Otromundo susurró, como si hubieran arrojado una piedra en su corazón.

El líquido negro se desbordó y rodeó el tobillo de Emma.

La arrastró al interior de la charca, en la que desapareció al instante y sin hacer ruido.

El agua se calmó y luego volvió a girar el doble de rápido.

Opal se quedó mirando el espacio vacío donde había estado la otra chica.

Y chilló.

SEGUNDA PARTE

ILUSIONES

9

NICO

Un chillido resonó por la escalera de caracol.

Nico se quedó inmóvil con una estatuilla de plata que representaba un caballito de mar entre los dedos. Tyler se puso tenso detrás del diario de a bordo. Cuando el grito desgarró la casa flotante por segunda vez, ambos corrieron hacia la escalera, Tyler temblando como un perro que viene de la nieve.

«No, no, no, no» era lo único que Nico podía pensar mientras se precipitaba escaleras abajo.

Opal tenía la vista fija en Otromundo. Unas lágrimas gruesas le resbalaban por las mejillas.

—¿Dónde está Emma? —inquirió Nico.

—¡Ahí... dentro! —balbuceó Opal, señalando la boca giratoria de la charca—. Apenas la ha tocado, pero yo... no he podido... ¡Nico, se la ha tragado!

A Nico se le aceleró el pulso. El agua giraba más rápido

que antes. Examinó el abismo negro. Seguía sin ver nada, pero ¿puede que brillara con más intensidad? Ignorando el peligro, se acercó más y se arrodilló, desesperado por encontrar algún rastro de su amiga.

—¡Le he dicho que tuviera cuidado! —Tyler empezó a dar vueltas alrededor de la charca, con un puño pegado a cada sien—. Oh, Dios. ¡Oh, no!

Nico atravesó a Opal con la mirada.

—¿Qué es lo que ha ocurrido? —le preguntó con voz áspera, llena de rabia y miedo.

Opal parpadeó; el pecho le subía y bajaba.

—¡No ha sido culpa mía!

Nico hizo un movimiento tajante con ambas manos.

—¡Solo dime qué es lo que ha ocurrido!

—Pues Emma estaba haciendo pruebas en el pozo. Y ha... ha metido un dedo del pie en el agua.

Tyler dio una patada al borde de la charca.

—¡Le dije que fuera con cuidado! —Los hombros huesudos le empezaron a temblar.

—Entendido. —Nico se estrujó la frente, tratando de pensar—. El agua tiene que llevar a alguna parte. O sea, que quizás ella... ella pueda...

—¿Pueda qué? —gritó Tyler—. ¡Esta cosa te engulle! Emma no puede haber ido a ninguna parte. Ya no está, ¡y es culpa nuestra!

Nico empezó a balbucear, como si quisiera replicar, pero Opal lo agarró por el brazo.

—Nico, no se ha caído. Otromundo la ha cogido y la ha engullido. ¿Se puede saber qué es esta cosa?

Tyler se quitó la sudadera en un arrebato.

—Voy a buscarla —resolvió.

—¿Estás loco? —gritó Nico.

Y, al mismo tiempo, Opal exclamó:

—¡Ni se te ocurra tocar esa agua!

Tyler arrojó la sudadera al suelo.

—¡Tenemos que hacer algo!

Nico no podía pensar con claridad.

—¿Qué tal una cuerda? —sugirió con voz débil—. ¿Y si se ha quedado atrapada debajo del bote o en algún otro lugar?

—No verá ninguna cuerda ahí abajo —lamentó Tyler, agitando una mano hacia Otromundo. Luego añadió con una vocecita infantil—: ¿qué deberíamos hacer, Nico? Ella... Ya ha pasado demasiado rato.

Nico sacudía la cabeza abatido, sin ideas, cuando otro grito rasgó el silencio. Al instante miró hacia la escalera.

—¡Emma! —Tyler se abalanzó escalera arriba, gritando su nombre a pleno pulmón.

Opal corrió tras él. Nico los siguió, con palpitaciones en la garganta, esperando que sucediera un milagro.

Fuera, el frío azotó a Nico como un martillazo. En la isla había unos veinte grados menos de temperatura que antes, y una niebla el doble de espesa. Nico advirtió una forma replegada sobre sí misma al borde del estanque. Tyler corría a toda mecha, como si quisiera interceptar su objetivo.

—Vamos, Opal —dijo Nico, pero no habría hecho falta decir nada. Opal saltaba por el caminito de piedras como si la hubieran disparado con un arco. Nico trató de seguirla.

Tyler alcanzó a Emma y se dejó caer a su lado. Cuando Nico y Opal llegaron, la había tumbado, y ella tenía una tos húmeda. Nico sintió tal alivio que por poco pierde el conocimiento.

A Emma le dieron unas arcadas y vomitó. Echó un cubo entero de agua del estanque.

Pese a todo, respiraba. Estaba viva.

Tyler balbuceó, feliz, y abrazó a Emma tan fuerte que ella tuvo que hacer un esfuerzo por respirar. Opal apartó con cuidado a Tyler y ayudó a Emma a incorporarse. Nico estaba de pie, a un paso de ellos, recitando oraciones en silencio para agradecer a todas las divinidades que pudieran estar escuchándolo.

—Me cago en todo —dijo Emma con dificultad—. Leches.

Opal acarició el pelo rubio empapado de Emma, tratando de calmarla. Temblaba, y no solamente de frío.

—¿Qué ha sucedido? —susurró Opal—. ¿Cómo has llegado hasta aquí?

—Que... quería ver cómo era... era —tartamudeó Emma—. Pero cuan... cuando la he to... tocado con el pi... pie... —se estremeció de pies a cabeza—... una especie de... de poder me ha a... a... agarrado. Como una fu... fuerza o algo así. Y luego ha... ha tirado de mí, hacia abajo, y había colores y luces, y no... no podía respirar.

Tyler miró a Nico con ojos llenos de preocupación. Nico se encogió de hombros en un gesto de impotencia, sin que Emma lo viera.

—Chicos —continuó Emma en voz baja, la vista fija en

el estanque—. Otromundo no es natural. He notado una... una presencia allá abajo. Como un espía dentro de mi cabeza.

A Nico se le erizó el vello de los brazos. Se los frotó, intentado apartar de sí la sensación de que lo vigilaban.

—Emma, esta agua está superfría, y has estado sumergida en ella mucho rato. Es un milagro que hayas salido a la superficie, aquí. Por poco te... Es la falta de oxígeno lo que debes de haber notado.

Emma negó con la cabeza, muy convencida.

—No. Nico, te lo digo de verdad; esto es mucho más que un remolino raro.

—Ahora nada de eso importa. —Tyler se puso en pie tambaleándose—. Aquí hace un frío que pela, y tú estás empapada. Volvamos adentro. Ya hablaremos de esto más tarde.

Opal asintió con la cabeza rápidamente, y Nico estuvo de acuerdo. Emma casi se había ahogado. Tenían que lograr que entrara en calor lo antes posible. No evitaban tocar el tema porque fuera escalofriante. Claro que no. De ningún modo.

Emma se levantó vacilante, pero no dejaba de mirar al agua. Se adivinaba el terror en sus ojos, pero también algo más. ¿Asombro? ¿Fascinación?

Tyler encabezaba el grupo, mientras Opal llevaba a Emma de la mano. Nico iba el último y tenía sentimiento de culpa. De todos ellos, él era quien había ayudado menos. No había hecho nada justo cuando sus amigos más lo necesitaban. «Como de costumbre».

Nico empezó a inquietarse de verdad cuando los arbustos que tenía al lado crujieron. Miró a su izquierda. Algo le devolvió la mirada. Nico reculó con torpeza, asustado, en el momento en que una figura enorme surgió de entre los árboles. Se alzó imponente, gruñendo y rugiendo.

Oyó que los otros se detenían, pero nadie hizo ruido.

El cerebro de Nico finalmente aceptó lo que veía.

Un oso pardo gigante de color morado lo escrutaba con unos ojos incisivos.

10

OPAL

«¡**M**antente firme, Nico! ¡No puedes correr más que un oso!».

Opal observó cómo la criatura se erguía majestuosa delante de él, olisqueando el aire con recelo. La luz del sol y las nubes moteaban su pelaje morado. Era aterradora. Y grandiosa. «¿Por qué es tan grande? ¿Por qué es morada?».

Nico tenía la cabeza agachada y miraba la hierba.

«Eso está bien», pensó Opal. «Evita el contacto visual».

El oso bajó la cabeza y gruñó. Nico tembló, pero no se movió.

Opal miró hacia los demás. Tyler estaba completamente inmóvil. Perfecto. Él también sabía cuáles eran las normas del oso. Sin embargo, los dedos de Emma se retorcían, pegados a un lado de su cuerpo. Ante el horror de Opal, Emma se abalanzó hacia el oso.

El animal emitió un sonido sordo. Y... resplandeció. Estupefacta, Opal se dio cuenta de que podía ver a través de la criatura, casi como si fuera un holograma. El oso se volvió hacia Emma, mientras un áspero y profundo gruñido vibraba en su garganta. El sonido retumbó en el cuerpo de Opal como un terremoto.

—Emma —susurró Opal—. No.

—Tranquilos. —Emma contemplaba la bestia maravillada—. Chicos, ya lo conozco.

—¿Qué? —dijo Tyler entre dientes con la boca ladeada—. Emma, ¿te has dado un golpe en la cabeza?

A Opal se le cortó la respiración cuando el oso se puso a cuatro patas y se aproximó a Emma.

—¡Detente! —Tyler agitaba los brazos por encima de la cabeza—. ¡Aléjate de ella! —Se le quebró la voz, pero aun así gritó más fuerte—: ¡VETE DE AQUÍ!

El oso giró la cabeza para mirarlo.

—No, no —dijo Emma. Mantenía la vista fija en ese animal morado inverosímil—. Eh, grandullón. Soy yo. ¡Oso, soy yo!

El oso siguió observando a Tyler, que se había quedado quieto de nuevo. Opal se preguntó cómo debía de ser que te miraran esos ojos gigantescos. ¿Horripilante? ¿O... excitante?

Emma extendió un brazo. El animal se volvió. Opal se quedó pasmada cuando vio que agachaba la cabeza.

—Oso —musitó Emma. Sus dedos se alargaron, casi tocaron ese pelaje lila reluciente...

El oso desapareció.

—¡No! —Emma, con cara de pena, se quedó con los dedos extendidos, chorreando agua de estanque sobre la hierba en el lugar donde el oso se había agachado hacía tan solo un instante.

—Bien. —Nico carraspeó—. ¿Qué era eso?

—¿Adónde irá? —gimió Emma, decepcionada.

—Había un oso aquí hace un segundo. —Tyler se dejó caer de rodillas—. Un oso pardo gigante de color morado. Lo he visto.

A Opal le flojeaban las piernas. Le puso a Tyler una mano en el hombro para no caerse, pero también para consolarlo.

—¿Dónde está? —Nico escudriñó el interior del bosque—. ¿Lo has visto huir?

—Conozco ese oso —repitió Emma.

—¿Perdón? —Nico y Opal hablaron a la vez.

Tyler se apretó las mejillas con ambas manos.

—Hace diez segundos un oso brillante y efímero por el que se podía ver a través estaba gruñendo en mis morros. ¿Lo captáis todos?

—Vosotros no lo entendéis. —Emma se volvió hacia ellos—. ¡Ese era mi amigo imaginario, de cuando yo era pequeña! Siempre lo dibujaba. Se llama Oso.

—Un gran nombre —comentó Nico con voz temblorosa—. ¿También tenías un perro llamado Perro?

Emma no pareció escucharlo.

—Era él. No sé cómo ha podido hacerse realidad.

—Es que no era real —insistió Tyler—. Los osos de la infancia que desaparecen no son reales.

Opal tragó saliva con la vista fija en el lugar que la criatura había ocupado.

—Pues este sí. Todos lo hemos visto.

—No puede ser —aseveró Tyler tercamente.

Opal lo miró enarcando una ceja.

—Una especie de vorágine se ha tragado a Emma y luego la ha escupido en este estanque. Nada de eso parece posible. La casa flotante, el sótano, esta isla. Así que ¿por qué no un oso de color lila?

—¿Uno que ha salido de la cabeza de Emma? —apuntó Nico bajito.

—Tal vez estemos soñando —dijo Tyler—. O soy yo. Debo de tener algún tipo de pesadilla rara.

—Esto no es un sueño —subrayó Opal—. Estoy despierta y estoy aquí también. ¿Queréis que os pellizque?

—Emma necesita secarse y entrar en calor —comentó Nico—. El oso, ya sea real o no, no cambia las cosas. ¿Tienes más ropa o calzado?

—Me he dejado la sudadera en la sala de exposiciones —respondió Emma—. Y el otro zapato está abajo.

—Vamos a buscarlo. —Nico empezó a caminar hacia el caminito de piedras.

—¡Espera! —Tyler abrió los brazos—. ¿Otra vez a la casa flotante? ¿Y si el oso está ahí dentro?

—Tyler, se ha ido —aseguró Opal—. No se ha escapado. Hemos visto cómo desaparecía.

—Podría reaparecer —recalcó Tyler—. Ha salido así, como si nada, hace unos instantes.

Nico se detuvo.

—¿Qué crees que ha sucedido?

—Otromundo, esto es lo que ha sucedido. —A Emma le

brillaron los ojos con actitud desafiante—. La charca me debe de haber leído el pensamiento y no sé cómo ha hecho aparecer el Oso. Esta es la única respuesta que tiene sentido.

—Deja ya de asustarme —protestó Tyler, rascándose un lado de la cabeza—. El agua del estanque no lee la mente de la gente. —Soltó una risa nerviosa mientras miraba a los demás—. Porque, si fuera así, podríamos salir corriendo ahora mismo y no regresar jamás, ¿verdad?

«No regresar jamás». Opal no sabía si sería capaz de hacer eso. La isla era un lugar sobrecogedor y peligroso, pero fascinante a la vez. Jamás había tenido tanto miedo ni se había sentido tan viva. «¿Y si lo que ha dicho Emma fuera verdad?».

—¿Estabas pensando en el Oso cuando te has caído en la charca? —quiso saber Opal.

—No. —Emma se estremeció—. Solo estaba asustada. Y también... tal vez un poco emocionada.

—¿Emocionada?

Una sonrisa temblorosa afloró en el rostro de Emma.

—Porque iba a descubrirlo. De una forma o de otra, iba a saber qué era Otromundo. —Se encogió de hombros, como si le sorprendieran sus propios sentimientos—. Creo que es agua normal y corriente, que lo sepáis. Tenía el mismo tacto y sabor, aunque era algo más... viscosa.

—¿Agua normal y corriente? —Tyler frunció el ceño, sobresaltado—. Emma, te ha engullido. Y por favor, lávate la boca si bebes de ella. Quién sabe lo que podría pasar.

—Luces, colores y algo dentro de tu cabeza. —Nico hablaba despacio, como si meditara cada una de las palabras—. ¿Es esto lo que recuerdas, Emma?

Ella asintió con la cabeza. Opal tuvo que reconocer que lo último no sonó nada bien.

Nico se frotó la barbilla.

—Parece terrible.

—Lo ha sido, sí. —Emma agitaba las manos mientras trataba de explicarse—. ¿Sabéis que, cuando leéis un libro, movéis los ojos de un lado a otro de la página? Bueno, pues ha sido como si algo me leyera. Como si yo fuera el libro.

Se quedaron callados después de eso. Opal vio que Nico y Tyler se miraban preocupados.

—Bueno, vamos a ponernos serios. —Tyler se apretó la nariz—. Lo que está claro es que ahora mismo no vamos a volver a esa casa flotante. Deberíamos marchar de la isla hasta que sepamos exactamente qué debemos hacer.

—¿Irnos? —Opal se dio cuenta de que no tenía ganas—. ¿Por qué?

—¡Para que ese pozo diabólico no nos devore a todos! —graznó Tyler.

—No la ha devorado. Emma ha tocado el agua a conciencia.

—Emma tiene el otro zapato en la casa flotante —señaló Nico.

—No necesito el zapato —apuntó Emma, lo que sorprendió a Opal—. Tyler lleva razón. Vámonos a casa.

—Sí, claro. —Nico mandó un guijarro al estanque de un puntapié.

Opal supo que era reticente a marchar por el tono de voz. «Es tan curioso como yo». Porque lo cierto es que Opal ardía de curiosidad. ¿Cómo se entendía que un oso lila pudiera ser de carne y hueso? Quería examinar Otromundo ahora mismo, pero era Emma quien había sido engullida por un ciclo de centrifugado y había salido disparada a un estanque congelado, y quien, además, había conocido a su amigo imaginario justo antes de que este desapareciera por arte de magia. O sea, que sí. Le tocaba decidir a ella.

Sin nada más que decir, ascendieron por la cuesta en dirección al bote de remos. Opal aún no estaba dispuesta a revelar lo del túnel. No hasta que estuviera segura de que la seguirían aceptando en el grupo. En la playa Nico y ella cogieron un remo. Se pusieron en marcha, y la isla empezó a desdibujarse detrás de ellos en la neblina.

Nico carraspeó.

—Emma —dijo en voz baja, remando a la par con Opal—. ¿Piensas que tú has creado el oso? ¿Que de algún modo ha sido producto de tu imaginación?

—Sí. —Emma respondió con absoluta seguridad—. Ha ocurrido en Otromundo.

Más golpes de remo. Otro silencio. Finalmente, Opal lo soltó:

—Me pregunto si el resto de nosotros seríamos capaces.

—¿De qué? —Tyler miró a uno y luego a otro—. Oh, no. No me digáis que estáis pensando en entrar ahí a conciencia. Porque es una locura, lo mires por donde lo mires.

Nico siguió remando, con una expresión ilegible. Emma asintió con la cabeza, como si Opal hubiera llegado a la conclusión lógica.

«Pongamos todas las cartas sobre la mesa».

—Si yo entrara en Otromundo —expuso Opal—, tal vez aparecerían mis amigos imaginarios.

—No lo dirás en serio —intervino Tyler—. ¿Entrar? ¿Al pozo negro, succionador y descifrador de mentes?

Opal se encogió de hombros.

—¿No te lo estarás planteando en serio?

Tyler miró hacia otro lado. Nico gruñó, sumergiendo el remo al mismo tiempo que ella. Emma dibujó una amplia sonrisa.

Mientras bajaban hacia la escarpada pared del acantilado, Opal solo tenía una cosa en la cabeza.

¿Qué es lo que sacaría Otromundo de ella?

II

NICO

La correa se ajustaba perfectamente bajo el cuello de Nico.

Se quedó mirándose en el espejo, mientras un fuerte sentimiento de humillación se le extendió por el rostro y el cuello, pasando por las extremidades y por los dedos de manos y pies, hasta llegar al resto del cuerpo.

«Parezco tonto de capirote».

—Mmm.

Warren Holland se rascó la barba, que esos días cabía interpretarlo como una sonrisa. Ello no mejoró el humor de Nico.

—Papá, no pienso llevar esto —suplicó Nico, rezando para que su padre no lo obligara a llevar la indumentaria tan ñoña que habían pedido para la fiesta.

—Si el instituto la ha mandado a casa es porque debes ponértela —aseveró Warren, tan corpulento que ocupaba casi toda la habitación de Nico—. Es importante que el pueblo se sienta orgulloso, hijo. Esta fiesta es... digamos que... Timbers pretende hacer algo realmente muy especial.

Nico iba vestido con un disfraz de rábano muy holgado. Un cuerpo amorfo de color rojo que habían cosido en clase de economía doméstica con la señora Simanson, a juego con una especie de boina rematada con un adorno de hoja y pecíolo. Una auténtica pesadilla.

Veinte de estas monstruosidades habían sido enviadas a alumnos de su clase, escogidos al azar, para que se las pusieran en el desfile, y Nico tampoco tuvo nada de suerte en esta ocasión. Carson y Parker se habían burlado de él al salir del instituto.

—Estás que rompes. —Su padre se llevó el puño a la boca y tosió. ¿Se le había movido el labio? ¿Bromeaba?

—Papá —dijo Nico, volviéndolo a intentar—, me van a dar una paliza si llevo esto. No puedo...

—Lo primero es apoyar a la comunidad —lo interrumpió su padre, juntando sus cejas espesas—. La gente cuenta con esto para dar un impulso al pueblo. Tal vez recuperar una parte del espíritu que hemos perdido desde...

Warren alzó la mano con un gesto ausente. Nico tampoco terminó su frase. Sabía que su padre no se arrepentía de haber salvado las lechuzas, y Nico no quería preguntarle si era consciente de hasta qué punto les echaban la culpa de los problemas que tenía el pueblo. Le preocupaba que a su padre le trajera sin cuidado.

Warren Holland enfiló el pasillo y desapareció. Nico se quitó la gorra y la tiró encima de la cama, y luego se deshizo del armazón acampanado. Quizá podría dejar el disfraz fuera para que lo cogieran los osos. Nadie podría hacerle responsable.

Esa idea le hizo pensar de nuevo en Still Cove y en las cosas imposibles que habían sucedido. Nico se había pasado toda la noche intentando racionalizar lo que había visto, y durante toda la mañana había querido creer que aquello era normal.

En las primeras clases había estado con la cabeza gacha, pero a la hora de comer, cuando se sentó frente a Emma y Tyler, ya no pudo seguir engañándose. Emma había caído en Otromundo, y después resulta que había aparecido ni más ni menos que un oso pardo lila. Alucinante.

A Emma se la veía estupendamente bien. No estaba mareada ni asustada, ni se caía a trozos. Más bien al contrario, parecía estar llena de energía. Quería regresar a la isla en cuanto se libraran de sus padres, una idea que había convencido totalmente a Nico. Él opinaba lo mismo. Habían descubierto algo asombroso que no conocía nadie más. ¿Cómo iban a dejar pasar la oportunidad de explorarlo?

«No sabes qué es ni lo que es capaz de hacer».

Nico ahuyentó ese temor persistente. Se negó a tener miedo esta vez. No quería que todo fuera normal y corriente en su vida. Eso era especial, y era suyo, y no estaba dispuesto a desaprovecharlo.

Habían quedado dentro de media hora.

Tyler había prometido decírselo a Opal, y Nico se mordió la lengua. Incluso él reconoció que no debían ocultarle algo tan importante. A decir verdad, Nico también quería que Opal formara parte de ello. Era, ante todo, lista y valiente. Podía ayudarlos a resolver el misterio de Otromundo.

Era increíble. Tal vez mágico incluso. Sentía un cosquilleo por todo el cuerpo solo de pensarlo. Cuanto más reflexionaba sobre la casa flotante, más convencido estaba de que se había construido para esconder lo que se arremolinaba debajo de ella. La sala de exposiciones era impresionante, una colección de los objetos más insólitos que uno podía imaginar, pero la charca del sótano se llevaba la palma.

Rebosante de impaciencia, Nico se puso un jersey azul marino y unos tejanos, se calzó las zapatillas deportivas y metió un par de bañadores y una toalla viaja en la mochila.

¿Realmente se atrevería?

Se colgó la mochila del hombro antes de que lo atacaran los nervios. El trayecto en bici serían unos veinte minutos. Podía llegar allí temprano y explorar la ensenada antes de que acudieran los demás. Nunca había inspeccionado la zona. Tal vez se le había pasado por alto algo extraordinario.

Intentó escabullirse por la puerta principal, pero el chirrido de una madera del suelo lo delató.

—¡Nico! —exclamó su padre desde la cocina—. Espera un segundo, hijo. Ven.

Nico cerró los ojos con fuerza y luego los abrió de golpe. Se dirigió a la parte posterior de la casa, preparándose para mentir tanto como fuera preciso para poder huir.

Su padre estaba sentado a la mesa, en su sitio de siempre. Con el pie apartó la silla que tenía delante.

—Siéntate. Tenemos que hablar.

El temor empezó a apoderarse de Nico.

—¿Sí?

Su padre dejó la taza de café sobre la mesa.

—Tenía intención de esperar hasta que tu hermano regresara, pero sé que has estado preocupado y no quiero que te lleguen rumores que puedan alarmarte.

«Empezamos mal. Muy, pero que muy mal».

—¿Qué tipo de rumores?

Warren Holland suspiró mientras extendía un brazo hacia atrás para rascarse en medio de la espalda, entre los omoplatos. Llevaba su uniforme de guarda forestal de color habano. Su sombrero estaba sobre la mesa.

—Hoy he recibido una carta del departamento —anunció—. Tras la inspección, he sido seleccionado para una evaluación de trabajo no disciplinaria.

Nico negó con la cabeza, confundido.

—¿Y esto qué significa?

—Nada. Al menos, nada en sí mismo. Este tipo de cosas ocurren a menudo. Por lo general, el departamento valora si un guarda forestal está más capacitado para otro puesto.

A Nico le dio un vuelco el estómago.

—¿Te echan?

—¡Por supuesto que no! —gritó su padre—. Tal vez incluso sea lo contrario. Ahora bien, un cambio de puesto muchas veces significa un traslado para que la gente no deba trabajar para sus antiguos compañeros. Si mi situación laboral cambiara, me obligarían a trasladarme...

Nico saltó de la silla tan bruscamente que la hizo caer

hacia atrás. Se precipitó hacia la puerta posterior, sin hacer caso del grito sobresaltado de su padre. Nico cogió la bicicleta y salió disparado.

Oyó que la puerta se abría de golpe detrás de él. Nico agachó la cabeza y pedaleó más deprisa. No se detuvo hasta que no hubo atravesado el centro del pueblo, no sin saltarse antes una señal de *stop* en la calle principal y arrancarle un grito de indignación al señor Owens, que estaba ocupado pegando con cinta adhesiva unos banderines de la fiesta del rábano en la entrada de su barbería.

Apretando los dientes, Nico empezó a subir la pronunciada pendiente de Overlook Row, lo que le obligó a reducir la marcha y, finalmente, a parar. Las famosas casas estaban alineadas a su izquierda. A su derecha, Orca Park descendía hasta la orilla del mar.

Le escocían los ojos, pero se negó a llorar. Era terriblemente injusto. Nico no le había hecho nada a nadie, y, sin embargo, lo echaban de Timbers como si fuera portador de la peste. Justo cuando había descubierto algo asombroso. Justo cuando su vida parecía que iba a convertirse en algo especial.

Nico se inclinó sobre el manillar para recobrar el aliento. Si no lo hubiera hecho, no los habría visto.

Ocultando su rostro, Nico vio a dos personas en el parque. Algo en la postura de la que era más baja captó su atención...

Se acercó un poco más, en bicicleta. Entrecerró los ojos. Entonces retrocedió, sorprendido.

Opal estaba sentada en un columpio y se cogía a sus

cadenas con ambas manos. Logan estaba de pie a su lado, apoyado en un poste. Mientras Nico miraba, los dos reían. En el suelo, entre ellos, había un plato de papel envuelto con celofán.

—Debí imaginar que me engañabas —susurró Nico. La rabia lo corroía por dentro. ¿Opal solo lo traicionaba o bien también se dedicaba a divulgar los secretos de Otromundo? Había empezado a confiar en ella. A sentir algo por ella, incluso. Y allí estaba, mariposeando con el matón sádico cuya familia se encargaba de que trasladaran a su padre fuera de la ciudad.

Nico retrocedió despacio para que no lo vieran. A continuación se subió a la acera y pedaleó hacia los extensos campos que se desplegaban hacia Still Cove.

No le dijo nada a Opal.

Y si no volvía a verla jamás, pues mejor.

12

OPAL

—Entra una ilusión a las doce.

La voz de Tyler crepitaba por el *walkie-talkie*. Desde donde estaba Opal, al lado del estanque, apenas lo distinguía en el tejado inclinado de la casa flotante.

—¿Qué es?

—Es un... dinosaurio. —La voz de Tyler era mucho más aguda de lo habitual.

—¿Qué?

Tyler tenía los prismáticos. Su trabajo consistía en detectar todo lo que pudiera aparecer después de que alguien se adentrara en Otromundo. Siempre arrojaba al buzo al estanque, pero las creaciones del pozo podían aparecer en cualquier parte de la isla.

«Ilusiones».

Nico lo había dicho primero, y desde entonces las llamaban así. Opal pensaba que era la mejor manera de describir las cosas que escapaban de su mente. Fantasías que eran reales, pero que al mismo tiempo no lo eran.

Todos llevaban el bañador puesto cuando llegaron a la casa flotante, incluso Tyler, aunque no pudo evitar refunfuñar por lo locos que estaban. No obstante, ya lo habían decidido. Iban a examinar la charca. Por muy insensato que pudiera ser, Opal quería ver qué era lo que Otromundo podría sacar de ella.

—Tyler, déjate de bromas —Opal miró a Nico, que salía del agua chorreando y medio tosiendo.

—Lo digo en serio. —Tyler bufó—. Pero no es... Bueno, ya lo veréis.

—¿Dónde está?

—Justo detrás de ti.

Opal se volvió de repente hacia el bosque.

De él surgió un tiranosaurio rex naranja de casi dos metros con los dientes de goma espuma y unos brillantes ojos marrones. Caminó a tropezones por la hierba y empezó a bailar agitando las patas y sonriendo de buena gana.

Nico se detuvo en seco.

—Oh, mierda.

—¿Pippo el dinosaurio? —Opal se echó a reír, y oyó que Tyler se desternillaba al otro lado del *walkie-talkie*—. Nico, ¿por qué pensabas en él?

—Cierra el pico. Como si me lo hubiera propuesto. —Se volvió de espaldas a Opal. Había sido muy desagradable con ella durante toda la tarde, y Opal no sabía por qué.

Pippo se acercó balanceándose a Emma, que había corrido para unirse a ellos y sonreía encantada con su bañador del equipo de natación de Timbers. Intentó darle unas palmaditas en el lomo, pero su mano atravesó el dinosaurio. Aun así, Pippo parecía más sólido que la última creación, un unicornio deslumbrante que Opal había hecho aparecer. Las ilusiones duraban solo unos minutos y luego se esfumaban sin dejar rastro.

Pippo se comportaba igual que en su programa de televisión. Iba de un lado a otro, con paso vacilante, agitando los brazos alegremente, pero de pronto vio a Nico.

Nico tragó saliva. Tenía el rostro pálido.

—¿Nico? —preguntó Emma—. ¿Pasa algo?

Como por arte de magia, Pippo sacó una botella gigante de champú desenredante Brack & Brack.

—No, nada. —Nico parecía más resignado que asustado. Pippo se acercó moviendo la botella como un director de orquestra. Nico dio un paso atrás—. Para. Ya no tengo cinco años. Ya no te tengo miedo.

Pippo ladeó la cabeza. Dejó la botella en el suelo y extendió sus cortos brazos de tiranosaurio rex.

Nico lanzó una mirada a Opal y a Emma. Emma sonreía, pero sin maldad. Opal sabía que, si ella sonreía, lo haría con una pizca de maldad.

—Adelante —le instó Emma—. ¡Abrázalo!

Nico sacudió la cabeza. Un segundo después, Pippo se difuminó en una brillante nube de color naranja.

—Tengo la sensación de que hemos sido testigos de algo especial —comentó Tyler casi sin aliento. Había bajado del tejado y corrido hacia ellos, con una toalla azul empapada sobre los hombros—. Nico contra el dinosaurio que lo aterrorizó en el pasado. Y por poco se lo hace encima.

—Soñaba mucho con Pippo. —Nico parpadeó con cara de rechazo—. Aparecía en el baño de casa y me lavaba el pelo a la fuerza. No era... nada agradable.

—Las dos cosas que más odiabas. —Tyler le puso a Nico una mano sobre el hombro para consolarlo—. El Pipposaurus Rex y la higiene personal diaria. No has cambiado mucho.

Nico le dio un empujón a Tyler en broma.

—Muchas gracias.

—¿Por qué te has imaginado a Pippo si no te cae bien? —le preguntó Emma, arrebatándole la toalla a Tyler.

—Es que no me lo he imaginado. Seguramente lo tenía grabado en algún lugar de la mente, y Otromundo lo ha recuperado. Yo no lo hago tan bien como tú.

Emma era la que se había metido más veces, ya que corría al remolino en cuanto su última ilusión se desvanecía. Había hecho aparecer un Porg de Star Wars, a Myrtle la Llorona y a un Angry Bird posado en un Pikachu de dos metros.

—Oye, el minidragón que has invocado antes era una pasada. —Emma miró su móvil frunciendo el ceño—. Ojalá pudiéramos grabar vídeos de estas cosas.

El dragón de Nico había estado genial, pensó Opal. Se habían ido zambullendo uno por uno para poder observar bien las creaciones de los demás. Tyler había decidido hacer una inmersión para hacer aparecer a su genio de dibujos animados favorita, Suzie Robotonic. Después de contemplar cómo la científica loca llenaba de diagramas su pizarra blanca mágica, se había dado por satisfecho y se había pasado el resto del tiempo en el tejado.

—¿A quién le toca? —preguntó Emma dando saltitos.

—Conmigo no contéis por ahora. —Opal aún se estaba recuperando después de ver a su ídolo, Sailor Jupiter, merodeando entre los árboles. Aunque las ilusiones la fascinaban, Otromundo le producía un cierto desasosiego, ya que penetraba en su mente y rebuscaba en su imaginación. Además, al salir siempre escupía agua del estanque. Necesitaba más tiempo para recuperarse que Emma.

Emma sonrió de oreja a oreja.

—¿Nico? ¿Tyler?

—Venga, tú primera —sugirió Nico—. Todos sabemos que tienes ganas.

—¡Bueno, si insistís! —exclamó Emma, y salió corriendo hacia la casa flotante.

—Es mejor que vuelva a mi puesto. —Tyler se dirigió silbando hacia el caminito de piedras. Opal no sabía si Otromundo le asustaba o simplemente era prudente, aunque tampoco se le veía desanimado. Más bien parecía que Tyler no deseaba volver a entrar.

Ella sí quería. Opal se dio cuenta de que estaba contenta. Eufórica. Se sentía cada vez más integrada en el grupo, a pesar de que Nico se mostrara huraño con ella. Dentro del círculo. Estaba ocurriendo algo nuevo y maravilloso, y ella se encontraba en el centro.

«O es que algo se ha despertado, y tú eres la causa».

Opal se detuvo en seco. ¿De dónde había salido esa idea?

El estanque arrojó a Emma hasta la orilla, y salió a rastras, tosiendo y temblando. Se hacía tarde y la temperatura había bajado.

—Deberíamos irnos pronto —comentó Opal.

Nico no se molestó en responder.

A Emma le castañeteaban los dientes.

—Esta pue... puede ser la... la última.

—¿En qué has pensado? —le preguntó Opal.

Emma era la mejor cuando se trataba de ser internacional. Sus inmersiones solían tener como resultado unas ilusiones que había tratado de imaginar adrede.

—En Godzilla —respondió solamente Emma.

Nico se tapó los ojos.

—Oh, Dios.

Emma dibujó una sonrisa radiante.

—Pippo me dio la idea.

—Genial.

De pronto, una sombra envolvió al grupo.

Todos miraron hacia arriba. Más arriba, y más, un poco más.

Godzilla.

Enorme y reptil, se alzó imponente ante ellos.

—Emma, no —musitó Opal.

—Tranquilos. —Emma suspiró—. Qué fastidio, vaya. Es cinco veces más pequeño de lo que debería ser en realidad.

«Me pregunto si conoce a Pippo», pensó Opal, reculando a la vez que el reptil gigante daba un paso hacia ellos. Abrió la boca y rugió; fue un sonido feroz y arrollador. Un rayo de luz cegadora salía proyectado de entre sus dientes.

—Ostras —murmuró Emma—. Hola.

Godzilla bramó una vez más. A continuación, como una vela, tituló y se apagó.

—Oh. No ha durado mucho —dijo Emma con tristeza—. Cada vez tengo menos maña para esto.

—Tanto si era un Godzilla pequeño como si no, por el momento sigue siendo la ilusión más grande que hemos visto. —Nico clavó la vista ahí donde había estado el monstruo—. Tal vez esto explique por qué se ha desvanecido tan rápido.

Emma sonrió, satisfecha.

—Vamos a secarnos. Haré una lista de lo que quiero crear mañana.

Se dibujó una gran sonrisa en el rostro de Nico, que empezó a caminar hacia las piedras.

Opal se disponía a seguirlos, pero algo llamó su atención.

—¿Vienes, Opal? —la llamó Emma.

—¡Sí, un momento! Es que quiero comprobar una cosa.

Mientras los demás se alejaban, Opal caminó a través del campo. Allí. No eran imaginaciones suyas. En el suelo, justo en el lugar donde Godzilla había estado durante unos breves instantes, había una marca que apenas se notaba: la hierba estaba ligeramente aplastada. Opal respiró hondo.

Tenía ante sí la enorme huella de un reptil.

13

NICO

Nico siguió a Emma y a Tyler hasta la sala de exposiciones. Había estado de mal humor todo el día, pero no quería estropear ese momento de entusiasmo colectivo. Les hablaría de Opal y Logan más tarde, cuando pudieran reunirse en privado y urdir un plan para quitársela de encima para siempre.

Emma se movía ansiosa por el pasillo central.

—¿Qué catalogamos ahora?

Nico hizo una sonrisa forzada.

—Tú eliges.

—Mmm. —Emma tamborileó con un dedo sobre sus labios—. Hay tantas opciones... —Señaló un punto próximo a la entrada de la escalera de caracol que bajaba a Otromundo—. ¿Qué tal aquella espada de piratas?

Nico echó un vistazo a la pared, pero le llamó la atención esa cosa verde que descansaba sobre el pedestal. Nunca le había dado demasiada importancia al frasco, pero ahora había algo en él que...

Nico se acercó y miró el interior. Mientras que al principio encerraba una masa confusa e hinchada como el mercurio, en aquel momento esta parecía más perfilada. La bola de un verde brillante de algún modo se había alargado y se había hecho más oblonga, como un caparazón de tortuga fabricado con masilla Silly Putty. Si entrecerraba los ojos, a Nico le parecía ver el contorno impreciso de una cabeza.

Entonces dio un resoplido. «Seguro, chaval, esta cosa se ha convertido en una sesera». Nico se volvió hacia el pasillo, pero mientras lo hacía notó un hormigueo entre los omoplatos.

Nico giró sobre sus talones y fijó la vista en la masa. Por un momento había tenido la inequívoca impresión de que lo vigilaban. Sin embargo, ahí no había nadie más, ni siquiera Opal. La sensación se desvaneció rápidamente. Nico por poco se echa a reír, pero no estaba lo bastante animado. A veces la colección le ponía los pelos de punta. ¿Quién había reunido todos esos objetos tan extraños? ¿Por qué? ¿Y dónde estaba ahora esa persona en cuestión?

—¿Chicos? —exclamó Nico—. ¿No os parece distinto esto?

Tyler alzó la vista de un pergamino.

—¿Lo que hay dentro del frasco? ¿Distinto en qué sentido?

Nico se pasó la mano por el pelo húmedo.

—No lo sé. Solo que... lo veo cambiado.

Emma se plantó a su lado en un santiamén.

—Pues ¿sabes? Sí parece como más sólido. ¿Lo has agitado o algo?

—Si me acabo de fijar ahora —admitió Nico con una risita nerviosa—. Pero juraría que antes era tan solo una masa viscosa que giraba.

—¿Crees que está creciendo? —murmuró Emma, que examinaba el frasco con ojos brillantes.

Nico levantó la mano.

—Lo más probable es que no sea nada. Quizá se haya calentado aquí arriba. O se haya enfriado. Lo que sea. Olvidadlo, no he dicho nada.

La cortina se abrió y Opal irrumpió en la sala con la expresión tensa, como si estuviera concentrada pensando en algo. Nico murmuró algo entre dientes.

—¿Y a ti qué te pasa? —susurró Emma mientras le hincaba el codo en el costado—. Has estado todo el día superarisco con ella.

Opal oyó el comentario.

—A mí tampoco me importaría saberlo —dijo secamente, cruzándose de brazos—. Pensaba que todo eso ya había quedado atrás, Nico.

La expresión de Nico se nubló.

—Creía que podíamos confiar en ti. Me he equivocado.

Opal le lanzó una mirada de desconcierto.

—¿Se puede saber de qué hablas?

—De esta tarde. En Orca Park. Anda, cuéntales a estos chicos con quién estabas cuchicheando, bien pegadita a él.

—¿Qué? —Entonces Opal abrió los ojos al caer en la cuenta—. Oh, Nico, no es lo que crees.

—Logan Nantes. —Nico masticó cada una de las sílabas—. Cuyo padre ahora mismo se está encargando de que trasladen al mío a la Antártida. Pero se te veía muy bien con tu amigo desde Overlook Lane.

Opal alzó las manos.

—Nico, te lo juro, estás equivocado. Ni siquiera deseaba estar allí.

—No me digas. Pues los dos os estabais partiendo de risa en los columpios.

—No, eso...

—Apuesto a que le has contado lo de la isla, ¿verdad? —La voz de Nico era claramente acusadora—. Lo de la casa flotante, lo de Otromundo, lo de las ilusiones, todo. Lo que hiciera falta para ganar puntos con la gente guay.

Opal lo miraba fijamente, con la boca abierta. Emma había dejado de moverse. Tyler se mordía el labio, nervioso. Al final Opal dijo chillando:

—Yo nunca haría algo así.

Nico la apuntó con el dedo.

—Entonces, ¿por qué no nos has dicho nada de la pequeña charla que habéis tenido?

—¡Justamente porque sé cuánto lo odias! —replicó Opal—. Logan no es tan malo como crees, pero yo nunca revelaría nuestros secretos. Confía un poco en mí.

Nico alzó las manos al instante.

—¿¡Lo estás defendiendo!?

Opal hizo una mueca.

—De acuerdo, se ha portado muy mal contigo, lo reconozco. Logan no puede librarse del resentimiento estúpido de su padre. Pero también tiene otra cara. Ojalá dejara que otra gente la viera.

Nico se burló, pero Opal levantó la palma de la mano como si se dispusiera a hacer un juramento.

—Yo no le he dicho nada —prometió—. Ha sido idea de su madre que fuéramos al parque, y no me he podido escaquear. Me he pasado todo el rato contando los segundos hasta que he podido librarme de él y venir aquí.

—Entonces, ¿de qué os reíais, eh? ¿De quién comprará la casa cuando yo me haya ido?

—¡Intentaba despistarlo! —Opal respiró profundamente, como si le costara mantener un tono de voz calmado—. Logan desconfía de tanto ir y venir últimamente. Suelo estar por nuestro bloque, pero estos días no se me ha visto el pelo por ahí. —Se ruborizó—. Así pues, me he inventado una historia —murmuró mirando las tablas del suelo.

—¿Qué es lo que te has inventado? —preguntó Emma.

Opal puso los ojos en blanco.

—Le he dicho que ensayaba un solo de danza para la fiesta. «Nace un rábano», lo he titulado. Como, ya sabéis..., como si yo saliera de una semilla y me convirtiera en una planta.

Tyler soltó una carcajada estrepitosa.

—Oh, madre mía, pagaría por verlo.

—Pues es de eso de lo que nos reíamos —aclaró Opal, fulminando a Nico con la mirada—. Incluso le he dicho que meterse con tu padre estaba mal. No le ha gustado, pero se lo he dicho igualmente.

Se quedó callada. Nico tenía la vista fija en el suelo.

—No le he dicho absolutamente nada de este lugar. —Ahora en la voz de Opal había un dejo de súplica—. Yo no haría algo así. No se lo haría a nadie de vosotros.

Nico alzó la cabeza. Miró a Opal a los ojos.

—¿Lo juras?

—Lo juro.

Nico le aguantó la mirada durante un largo momento.

—De acuerdo. Lo siento. Temía que quizá... Creía... —Soltó una bocanada de aire—. Da igual lo que haya creído. Me he equivocado y me he comportado como un imbécil. Culpa mía.

Nico oyó que Emma expulsaba el aire. Tyler se secó las palmas de las manos en los tejanos a la vez que silbaba, aliviado. Opal todavía estaba de pie, apartada de los demás, como si no estuviera convencida de que había pasado la tormenta.

—Vamos —dijo Nico, esforzándose por sonreír—. Tenemos trabajo que hacer.

Opal sonrió.

—Ajá. Y acabo de descubrir algo importante.

Nico arqueó una ceja. Emma y Tyler también miraron a Opal.

—Creo que las ilusiones son cada vez más fuertes.

—Bueno, sí. —Tyler no pareció inmutarse—. Las últimas no estaban tan difuminadas como el oso morado. Supongo que Otromundo necesitaba tan solo unas rondas para calentarse.

—No solo eso —apuntó Opal—. ¡Godzilla ha dejado una huella!

Nico negó con la cabeza.

—Pero son ilusiones, nada más. Ideas extraídas de nuestras cabezas. No son reales, Opal. Puedes pasar el brazo a través de ellas.

Opal se encogió de hombros.

—He examinado la hierba. Tiene la forma de una huella de lagarto gigante.

—Godzilla es un dinosaurio, no un lagarto —puntualizó Emma automáticamente—. Al menos lo era en la película original. Un terópodo.

Tyler se cubrió el rostro con las manos.

—¿Y de qué modo nos afecta esto a nosotros?

—Es solo a título informativo.

—Lo que importa es —prosiguió Opal— que estas ilusiones son más reales que unas simples imágenes difusas. Y puede que se estén haciendo más reales.

Nico entrecerró los ojos.

—Esto es más grande de lo que creíamos.

—Mejor de lo que creíamos —alardeó Emma.

—De acuerdo, tema zanjado. —Tyler se masajeó la nuca—. No podemos permitir que nadie más descubra Otromundo. Podría ser peligroso.

—Debemos vigilarlo —sugirió Opal—. Mantener toda la isla en secreto.

—Guardianes. —Emma puso los ojos redondos como platos—. Guau, necesitaremos un nombre que cause sensación. ¿Qué os parece los Guardianes de Otromundo? ¡No, no! ¡Los Protectores del Pozo Prohibido! ¡O los agentes PPP!

127

Nico no le hizo caso.

—Pues está claro, ¿no? Ahora somos responsables de él. Y de todo lo que hay dentro de esta casa flotante.

Opal asintió.

—Solo nosotros cuatro. ¿O sea que damos por terminada la discusión sobre si debo o no estar aquí?

Nico se rio con timidez.

—¿Qué haríamos sin ti?

Le alargó la mano con la palma hacia abajo. Opal parpadeó y luego le puso la suya encima. A continuación Tyler añadió la suya, y, por último, Emma colocó sus dos puños, uno encima de otro, arriba de todo. Los cuatro estuvieron así, unidos, cara a cara, en el centro de la silenciosa sala de exposiciones.

Tyler movió los pies.

—¿Alguien de nosotros, no sé, debería decir algo?

Nico sonrió abiertamente.

—Claro. Adelante.

—Esperaba que lo hicieras tú. —Miró a Emma, pero ella negó con la cabeza, riendo por lo bajo.

Nico miró a Opal, cuyos ojos brillaban. «¿Está llorando?».

—¿Opal? —preguntó—. ¿Te pasa algo?

Se sorbió la nariz y luego sonrió de buena gana.

—Creo que ya hemos hablado suficiente, ¿no?

Todos bajaron las manos, a la vez que las carcajadas resonaban hasta las vigas polvorientas.

14

OPAL

Un guaperas de un curso superior se aproximaba a Opal por el pasillo.

Era el guaperas de Evan Martínez, para ser exactos.

—¿Opal Walsh? —dijo.

—Sí. —«¿Acabo de decir "sí"?», se reprendió, pero ¡resulta que él sabía su nombre! Se colocó bien la mochila en la espalda—. Hola, Evan.

—Tu madre te espera en el despacho principal. Se supone que yo debo recogerte.

—Ah. Genial.

No sabía si enfadarse con su madre por haber pasado por el instituto o alegrarse porque podría estar con Evan Martínez. Iba vestido con la equipación de fútbol. Opal confiaba en que los viera todo el mundo.

«¡Oh! Quizá Evan Martínez podría aparecerse como una ilusión».

No. Tyler y Nico no se lo perdonarían. Emma podría entenderlo.

Cuando llegaron al despacho, Evan le aguantó la puerta.

—Gracias —dijo Opal.

—Ningún problema. —Se sentó detrás del letrero donde se leía AYUDA AL ESTUDIANTE. De pronto Opal deseó presentar una solicitud para trabajar ayudando al estudiante.

—¡Opal! —exclamó Kathryn Walsh—. Hola, cariño.

—Eh, mamá. —Opal apartó al instante la mirada de Evan, que grapaba papeles con mucho estilo—. ¿Todo bien?

—¿Acaso no me esperabas? —Kathryn le abrió la puerta a Opal y salieron al vestíbulo—. Hoy es la reunión en que nos darán las pautas para el concurso. Es ahora, en el auditorio.

—Me he olvidado. —De hecho, Opal no había leído esa parte. Ni ninguna. Se había limitado a firmar el documento que su madre le había puesto frente a ella.

En el interior del auditorio, se sentaron en dos butacas de felpa. Había un número considerable de chicos y chicas de trece y catorce años. A Opal le sorprendió ver a estudiantes incluso mayores, ya que había dado por hecho que ellos podrían librarse de todo eso.

Opal saludó con la mano a Azra Alikhan, de geografía, que sin duda tenía posibilidades de ganar. Azra sabía tocar el piano y llevaba unas gafas muy guapas. Opal no podía competir con eso. Lo único que esperaba era no quedar en último lugar. «¿Hay un último puesto? Dios, espero que no».

—¡Hola, señoras Walsh! Qué sorpresa tan agradable. ¿Podemos sentarnos con ustedes?

Opal levantó la cabeza y vio a la señora Nantes de pie al final de su fila.

Y a Logan. ¿Qué demonios...?

—¡Por supuesto! —Kathryn y Opal se apartaron rápidamente para dejarles pasar—. Qué alegría verla, Lori. A Opal le encantó el delicioso detalle que tuvo ayer, ¿verdad, tesoro?

Opal asintió diligentemente.

—Gracias, señora Nantes.

La madre de Logan sonrió.

—No tiene importancia. Me alegro de que a vosotros, chicos, os gustara.

Lori Nantes hacía unas galletas con trocitos de chocolate y rellenas de caramelo de lo más deliciosas. Por culpa de esas galletas Opal había acabado con Logan en Orca Park el día anterior. Se había presentado en su casa con una bandeja envuelta con plástico y órdenes de su madre de que compartiera el contenido. La madre de Opal la había echado de casa prácticamente a empujones.

Logan se sentó al lado de Opal, con la mirada al frente.

—Eh, Logan.

—Hola.

Opal se quedó callada, asombrada de que él estuviera allí. No podía creer que su madre lo obligara a hacer eso.

—Logan —dijo la madre de Opal—, no sabía que participabas en el concurso.

—Ha sido idea de él. —La señora Nantes parecía algo consternada—. Rellenó la solicitud y todo.

A Logan se le enrojecieron las orejas. Seguía sin mirar a Opal.

—Esto es... guau. —Opal reprimió una sonrisita—. ¿Tú qué vas a hacer?

—Voy a driblar una pelota de baloncesto mientras estoy cabeza abajo.

—No estoy segura si era esto lo que la comisión tenía en mente, pero eso ya es... algo. —La señora Nantes abrió los ojos con satisfacción—. ¡Y he oído que Opal va a hacer un baile!

—¿Un qué? —La madre de Opal se retorció para mirarla.

—Ha estado ensayando toda la semana. —Logan ni siquiera trató de disimular su sonrisa—. Representa que es un rábano. Un rábano que sale, ¿verdad, Opal?

Opal tragó saliva.

—Sí. Va de eso.

—¿Vas a bailar? —Kathryn Walsh parecía desconcertada—. Creía que ibas a recitar uno de los soliloquios de Shakespeare.

Otra parte de la solicitud que Opal no había examinado. Aun así, cualquier cosa era mejor que bailar delante de toda la escuela.

Kisner, el director del centro, subió al escenario y dio unos toquecitos al micrófono.

—Bienvenidos al ensayo —dijo entonando—. Tengo el honor de presentarles el presidente de la fiesta del rábano, el señor Albert Murphy.

¿Qué? ¿El gruñón que vivía al lado de Nico? ¿Cómo es que él estaba al mando?

—Disculpa, mamá —murmuró Opal—. Olvidé decírtelo. Al final haré lo de Shakespeare.

—No, no. —Una luz se había encendido en los ojos de su madre—. Un baile será fantástico. Siempre he sabido que te encantaba bailar.

«Mierda. Mierda, mierda, mierda».

—¿Podríais ser tan amables, todos los participantes en el concurso, de subir al escenario? —pidió el señor Murphy—. No os pongáis nerviosos. A cada uno de vosotros os haremos una pregunta práctica, solo para calentar motores.

Logan y Opal siguieron a la multitud hacia detrás del escenario a través de una gruesa cortina azul. A ella le recordó la casa flotante. Se moría de ganas de volver. ¿Cuál sería la próxima ilusión que crearía? Además, Godzilla había dejado una huella. ¿Qué significaba eso?

—No puedo creer que me haya presentado voluntario —murmuró Logan mientras se unían a la cola.

—¿Por qué te has presentado? —le preguntó Opal.

Logan no soportaba hablar en público. En las presentaciones de clase se explicaba tan rápido que apenas se le entendía. Y nunca se apuntaba a nada que no fuera una actividad deportiva.

—Pues no lo sé —rezongó Logan visiblemente abatido.

—Todavía estás a tiempo para huir. Podrías salir por el aula de teatro.

Logan la miró fijamente.

—¿Vendrías conmigo?

Opal miró hacia otro lado, incómoda de pronto.

—No puedo. Mi madre me mataría. No tengo escapatoria. —Intentó poner una voz divertida e histriónica a la vez, pero Logan no se rio. La cola empezó a moverse a

133

medida que otros alumnos daban respuestas cortas y descabelladas a las preguntas del señor Murphy.

Logan apretó las mandíbulas con fuerza.

—Entonces yo también me quedo.

Opal quería preguntarle por qué, pero Logan volvió a hablar, esta vez de forma atropellada.

—No te entiendo. Hemos estado juntos todo el verano y pensaba que te habías divertido. Pero entonces ocurrió eso con Nico y ahora pasas de mí totalmente. ¿Por qué?

Opal trató de ordenar sus pensamientos. ¿Puede que Logan se hubiera apuntado al concurso por ella? Menuda locura.

—Si me hubiera dejado comprarle un dron nuevo, lo habría hecho —prosiguió Logan—. Pero Nico no lo habría aceptado. Es demasiado tozudo, como su padre.

—No tendrías que haberle estropeado el que había hecho. —Opal recordó lo mucho que se había asustado cuando se enteró de la caída de Nico. Logan no sabía la mitad de lo sucedido.

Logan se movió, incómodo.

—Creía que lo había encontrado.

—¿En Still Cove? No, qué va.

Había solo dos chavales delante de ellos. Los focos del escenario estaban dispuestos de tal manera que Opal no podía ver el público, pero sabía que su madre estaba ahí, pendiente.

—¿Cuál crees que es el mayor reto al que se enfrenta Timbers? —preguntó el señor Murphy a Megan Cook.

—¿Esas lechuzas? —respondió Megan con voz titubeante—. ¿Expulsarlas de aquí?

—Mira, lo siento —susurró Logan—, pero Nico es un desgraciado, siempre lo ha sido. ¿Por qué lo sigues a todas partes? ¿Qué es lo que tenéis entre manos? Nunca estás en casa, y tu madre no sabía nada de tu «baile del rábano que sale». —Simuló en el aire unas comillas con los dedos.

Opal no dijo nada. Megan acabó de responder.

Logan entrecerró los ojos.

—¿Adónde vas cada día, Opal?

Opal adelantó a la siguiente persona que estaba en la cola y se dirigió al centro del escenario.

El señor Murphy la miró fríamente con sus bifocales.

—Preséntate, por favor.

—Opal Walsh.

—Opal, en tu opinión, ¿cuál es el punto más fuerte de Timbers?

Una pausa muy larga. Opal pensaba en todo menos en la pregunta.

Al final el señor Murphy se aclaró la garganta.

—La gente —respondió Opal, hablando desde un lugar que no sabía decir cuál era—. Todo el mundo se preocupa por los demás. Eso es importante.

Opal retrocedió uno pasos y acabó de cruzar el escenario. No miró atrás, a Logan, pero la pregunta que le había formulado se repetía una y otra vez dentro de su cabeza.

«¿Adónde vas cada día, Opal?».

Temió que Logan estuviera decidido a averiguarlo.

15

NICO

—En serio, Emma está obsesionada.

Tyler hundió el remo en Still Cove.

—Su plan es tirarse de cabeza al remolino y luego, al salir, mirar cómo ha quedado su última creación disparatada e ir corriendo a hacerlo otra vez. Y así todas las tardes. Es demasiado.

Nico dejó de remar unos instantes para rascarse la nariz.

—¿Cuántas veces ha ido?

—¿Solo hoy? —Tyler negó con la cabeza—. He perdido la cuenta después de la número diez.

Nico silbó.

La bruma se dispersó y al final atisbó la isla frente a ellos. Los dos chicos saltaron al agua para varar el bote. Nico se subió la cremallera del cortavientos cuando una ráfaga de aire polar barrió la isla. Se moría de ganas de refugiarse en la casa flotante y entrar en calor.

—Gracias por venirme a buscar —dijo Nico—. Disculpa el retraso. Mi padre me retuvo en casa, y luego Opal no estaba en el lugar donde quedamos.

—Ah, tranquilo. —Tyler lanzó el remo al interior del bote—. Si quieres que te diga la verdad, me apetecía verla lejos de la isla durante un rato.

Nico lo miró con atención, sorprendido.

—¿Lejos de la isla? ¿Por qué?

Tyler puso los ojos en blanco.

—Ya lo verás.

Se escuchó un ruido en los arbustos próximos. Al poco, tres Pitufos azules y diminutos salieron de entre los árboles. Nico se quedó boquiabierto.

—Justo a tiempo —murmuró Tyler.

El cabecilla de los Pitufos, un tipo robusto con barba, los vio y los señaló. Nico se asustó cuando oyó que una voz de pito gritaba «¡Al ataque!», a la que siguieron otros dos gritos de guerra agudos. Los Pitufos arremetieron contra ellos y empezaron a echar arena a los zapatos de Nico mediante patadas, a la vez que gruñían y agitaban sus puños minúsculos.

—Otra vez no. —Tyler echó a los agresores, del tamaño de una jarra—. ¿Podéis parar, por favor?

—¡Guerra! ¡Guerra! —El líder empezó a aporrearse el pecho, pero al cabo de un instante el trío desapareció. De pronto, Nico y Tyler se volvieron a quedar solos.

Tyler se llevó la mano a la frente.

—¡Al fin! Estos individuos no han dejado de darme la lata.

Nico tenía la vista clavada en sus zapatos.

—Tyler. Tengo arena en los zapatos.

—Yo también. Estos pequeños energúmenos estaban chiflados y nunca paraban quietos.

—Tyler, estas ilusiones han removido la arena. Y nos hablaban.

—¿Qué crees, que no lo sé? —Tyler se quitó una zapatilla y la sacudió—. Las nuevas no se callan. Duran más también. He estado esperando que esta pandilla se volatilizara desde que declararon la guerra a los «gigantes del estanque» o como sea que nos llamen.

Nico parpadeó, tratando de procesar la información.

—Así pues, ¿ahora duran más, hablan y pueden mover lo que hay a su alrededor?

—Chaval, vamos al estanque. No te lo vas a creer.

Diez minutos después llegaron a la cima de la colina, desde donde había muy buenas vistas de la casa flotante.

—Me cago en todo —murmuró Nico.

—Pues sí.

Ilusiones. Por todas partes. Nico vio al menos una docena alrededor del agua.

—Ty —dijo Nico a media voz, con el pulso acelerado—. ¿Se puede saber qué estáis haciendo?

—¡A mí no me mires! —replicó Tyler—. Yo hice un droide BB-8 y el muy estúpido intentó asustarme antes de rodar hacia los arbustos. —Con un gesto vago señaló el circo que había junto al lago—. Esto de aquí es el show de Emma Fairington, y no cierra nunca.

Algo alarmantemente alto con las extremidades muy

largas avanzó hacia ellos dando sacudidas bruscas y chirriantes. Nico entrecerró los ojos y luego se enderezó, estupefacto.

—¿Esto es... uno de esos elfos que viene del polo Norte?

—Ah, se llama Herbie. Cuando llegue aquí, te lo contará todo sobre él.

—Paso. —Nico bajó en la otra dirección para esquivar al bamboleante espía, que se volvió hacia ellos mientras descendían—. No me gusta cómo nos miran ahora.

Tyler, a su lado, dio un resoplido.

—Esa fábrica espeluznante del ojo negro no es lo peor. Antes había por aquí un trozo de pollo gigante que daba vueltas en círculo, y un grupillo de hadas bailarinas que volaban en formación de ataque. Menuda tarde hemos tenido.

Llegaron al campo cubierto de hierba. Nico tropezó con un ejército de Minions cargados con saxofones, pero reculó porque algo le salpicó desde la superficie del estanque. De él salió un submarinista con esmoquin.

—¡Tú eres mi colega! ¡Yo soy tu amigo! ¡Vamos a jugar, somos un equipo!

La ilusión pataleó y empezó a bailar a la vez que Nico retrocedía, negando con la cabeza y murmurando:

—No, no, no.

El submarinista se le acercó gritando:

—¡Comparte a los amigos y dales cariño!

Nico le susurró a Tyler con severidad:

—¡Vámonos de aquí!

—Ahora mismo.

Y echaron a correr hacia el caminito de piedras.

—¡Los amigos son bromistas, y tú eres amigo de la broma! —gritó el submarinista moviendo los brazos como si estuviera en algún desfile.

Al cabo de unos segundos, Emma salió del agua. Llevaba bañador, tenía los labios morados y el cuerpo le temblaba de frío.

—¡Nico! ¿Lo has visto? ¡Ahora las ilusiones hablan! ¡También duran más!

—Vamos dentro de la casa flotante —ordenó Nico—. Tenemos que hablar, Emma.

Emma puso cara de desencanto, pero asintió con la cabeza.

—Aunque hay que estar pendientes por si aparece un centauro. Siempre he querido crear uno, pero tengo entendido que pueden ser irritables.

—Debes frenar. ¡Soooo! —Tyler andaba de un lado a otro del pasillo de la sala de exposiciones agitando las manos mientras hablaba—. Esto de ahí fuera es un desmadre, y algunas de estas ilusiones empiezan a tener un comportamiento extraño con las personas.

—Son inofensivas. —Emma se sentó en un caballito de madera a tamaño real que había encontrado debajo de una lona. No parecía inmutarse por el dramatismo de Tyler—. Hemos acordado poner a prueba Otromundo, ¿verdad? Entonces, ¿de qué otra forma se supone que debemos hacerlo? A mí me gusta hacer turnos, pero vosotros entráis una vez y luego abandonáis.

—Dos esqueletos de Minecraft me han anudado un zapato con otro —repuso Tyler—. No voy a salir de aquí hasta que hayan desaparecido todas esas cosas.

—Ahora son mucho más fuertes. —Nico se apoyó en un voluminoso armario. A su lado, la masa verde giraba lentamente dentro del frasco. Nico no lo sabía a ciencia cierta, pero parecía aún más sólida. Ahora, en el centro presentaba unos apéndices abultados. ¿Y podía ser que brillara más que antes?

La voz de Emma lo hizo volver a la realidad.

—Las ilusiones se hacen más fuertes con cada inmersión. Es por eso por lo que debemos continuar. ¿Quién sabe lo que pronto serán capaces de hacer?

Tyler se la quedó mirando.

—Justamente por eso debemos parar.

Nico se dio cuenta de que asentía con la cabeza. Algo de lo que había dicho Emma le había provocado un cosquilleo en la piel. No obstante, antes de que pudiera explorar esta sensación, la cortina se abrió y Opal irrumpió en la sala.

Tyler se detuvo en seco.

—Muy bien, ¿cómo has llegado hasta aquí? ¿Tienes otro bote?

—Ya te lo dije. Tengo mis métodos. —Opal le guiñó el ojo y luego cruzó la sala y le dio al caballito de Emma una palmadita en el hocico, pero su sonrisa de suficiencia duró tan solo un instante—. ¿Habéis visto el centauro que hay fuera? Me ha hecho una reverencia y se ha proclamado mi campeón. —Bajó la voz—. Le he tocado la cabeza, chavales. Era tan... suave. Tan real...

—Ah, maldición. Se supone que debía ser mi campeón.

—Emma se tiró al suelo—. Vamos a saludarle.

—¡Espera! —Nico dio un empujón al armario—. Debemos decidir qué hacemos con esas ilusiones. Duran más, lo que significa que podría haber docenas al mismo tiempo si no vamos con cuidado.

—Convertir esta isla en un paraíso mágico —arguyó Emma; sus ojos azules brillaban con entusiasmo—. Todavía espero que me digáis cuál es el problema.

—¡Tú eres el problema! —le espetó Nico—. Estás muy obsesionada con el tema, Emma.

Emma se puso colorada. Se cruzó de brazos, pero no respondió.

—Tengo otra noticia —dijo Opal en voz baja. Dirigió la mirada a Nico—. No es buena.

Nico se metió las manos en los bolsillos.

—¿Y bien?

Opal se aclaró la garganta.

—Logan ha empezado a hacer preguntas.

Nico notó que se ponía tenso, pero Opal continuó antes de que él pudiera hablar.

—Me lo he encontrado por casualidad en la reunión para el concurso, y me ha empezado a preguntar con insistencia dónde había estado estos últimos días. Es difícil seguir ocultando todo esto, chicos. De pronto por las tardes desaparezco, y cualquiera que esté un poco atento puede ver que salgo en bici hacia las colinas.

—¿Logan participa en el concurso? —preguntó Tyler incrédulo—. ¿Lo he oído bien?

—¿Qué es lo que sabe hacer? —preguntó Emma—. Una vez lo vi manteniendo el equilibrio sobre un tronco, y la verdad es que...

—No me importa lo que piense Logan. —Nico se tiró del cortavientos con ambas manos, fulminando a Opal con la mirada—. Si vas a salir siempre con él, dile que vamos a pescar en el parque estatal. Al oeste.

—Yo no salgo con él. —Opal se estrujó su larga trenza negra—. Esto es un pueblo pequeño, Nico. Puede que a ti te resulte más fácil escabullirte sin que nadie te haga preguntas, pero eso es más difícil para algunos de nosotros.

Para Nico eso fue como una puñalada en el pecho.

Opal se puso pálida.

—Nico, no quería...

—No pasa nada. —Hizo un gesto vago con la mano—. Tienes razón, lo sé. —Nico respiró hondo—. Tal vez deberíamos dejar todo esto durante unas horas. Tomarnos un día libre. Me apuesto a que Ty y Emma han andado por terrenos pantanosos con estas salidas. —Miró a sus amigos.

Tyler suspiró.

—Mi madre empieza a estar preocupada. Cuesta inventarse una excusa cada día.

Emma bajó los hombros.

—Ha sido un poco difícil no estar ahí para echar una mano en la tienda. ¡Como si no me importara!

—Decidido, pues. —Nico sintió que lo envolvía una oleada de alivio—. Haremos una pausa e idearemos un plan mejor para Otromundo. —Opal frunció el ceño, y Emma parecía dispuesta a protestar, por lo que Nico se apresuró a añadir—: Después seguiremos haciendo pruebas, tal como acordamos.

Emma asintió, calmada. Entrecruzó los dedos y pestañeó.

—¿Puedo ir una última vez hoy? ¿Por favoooor?

Tyler resopló ruidosamente, pero Nico se rio entre dientes.

—Haz lo que quieras. Como si quieres hacer aparecer un ejército de monos araña. Pero luego nos vamos.

Emma chilló de alegría y echó a correr hacia la escalera.

—¡Gracias, chicos! ¡Me encanta ser una mayordoma del pozo de la medianoche! —Y desapareció detrás de la pared.

Nico se volvió rápidamente hacia Opal.

—Y ahora nos vas a decir cómo consigues llegar hasta aquí tú sola. —Se cruzó de brazos—. Basta ya de secretos, Opal. Somos un equipo, ¿entendido? O sea que confiesa. ¿Tienes una mochila propulsora o algo por el estilo?

Opal se rio.

—Nada de eso. Pero sí tengo algo que enseñaros.

Nico creía que la isla ya no lo podía sorprender más. Se equivocaba. Los chicos acribillaban a Opal a preguntas sobre su túnel misterioso cuando la casa flotante zozobró.

—¿Qué ha sido eso? —preguntó Opal.

Antes de que nadie pudiera responder, oyeron un grito que provenía de fuera.

—¡SOCORRO!

Nico notó cómo se le helaba la sangre.

Era Emma.

16

OPAL

Corrieron al porche de delante.

Se detuvieron de pronto y se quedaron mirando.

Había un humanoide altísimo junto al estanque, entre Emma y el camino de piedras. La ilusión tenía una piel gris lustrosa y unos dedos increíblemente largos. Opal advirtió que contaba con otros dos ojos en la parte posterior de la cabeza.

—La leche —dijo Tyler entre dientes—. Emma ha creado un Visitante.

—Es su serie de invasores favorita. —Nico se estrujó el pelo con ambas manos—. Solo duró doce episodios, pero Emma los ha visto un millón de veces.

Emma trataba de sortear la ilusión, pero esta se encontraba entre ella y el camino de piedras, e imitaba todos sus movimientos.

—¡No me deja volver al bote! —Incluso desde el otro

lado del estanque, Opal percibía la frustración en la voz de Emma—. No lo entiendo. ¡Se supone que me debe ayudar, como en la serie!

—¿Podemos llegar adonde está ella? —preguntó Opal.

—Solo hay una forma de saberlo. —Apretando los dientes, Tyler empezó a cruzar por las piedras.

Opal admiraba que fuera tan valiente cuando se trataba de ayudar a Emma. Los unía un vínculo inquebrantable, lo mismo que con Nico. «Y a mí, ¿me rescatarían?».

—¡Eh! —Nico llamó al Visitante, agitando los brazos—. ¡Aquí!

El Visitante no reaccionó. Siguió imitando a Emma, frustrando sus movimientos.

—¡Apártate de mi camino! —chilló Emma, y clavó con fuerza un pie en el suelo.

El Visitante hizo el mismo gesto con el pie.

—¡Sal de ahí, astronauta! —gritó Tyler.

—¡Vete! —añadió Nico.

El Visitante los ignoró a los dos.

Opal alcanzó a los chicos a la orilla del agua.

—¡Que la dejes pasar!

«No».

Opal sintió la palabra en vez de oírla, como una pulsación que resonó a través de ella. ¿Qué ocurría? Algo en su interior no le hacía presagiar nada bueno.

—Muy bien. —Opal se restregó las palmas húmedas de las manos por los tejanos—. Se han acabado las tonterías. Es el momento de largarse de aquí.

—¿Cómo? —murmuró Nico—. ¿Por tu túnel?

Opal negó con la cabeza.

—Es al otro lado del estanque. Pero los Visitantes no saben nadar. Es uno de los pocos puntos débiles que tienen.

Nico le lanzó una mirada escéptica.

—¿Estás segura de que esto no sabe nadar?

—¡Yo también he visto los doce episodios enteros!

Tyler empezó a moverse alrededor del Visitante. Lo seguía con los ojos que tenía en la parte posterior de la cabeza, pero no hizo movimiento alguno. La ilusión estaba concentrada en Emma, que ya no intentaba pasar.

Opal le hizo una seña y articuló la palabra *playa*. Emma se mordió el labio. Asintió.

—Tenemos que atraer su atención —susurró Nico.

—Pasa de nosotros. —Tyler saludó al monstruo con la mano—. ¿Lo ves? Nada.

—Deberíamos abalanzarnos sobre Emma —sugirió Opal—. Si la atacamos, igual se fija en nosotros. Así ella podría escapar.

Nadie habló durante unos instantes.

—De acuerdo —dijo Nico—. Lo intentaremos. ¿Qué es lo peor que podría ocurrir?

Tyler se estremeció, arrugó la nariz.

—Nico, tío. No digas estas cosas.

—Nos podría descuartizar. —Opal se rio nerviosa—. Un Visitante lo hizo en el capítulo cuatro.

Tyler se vino abajo.

—Vosotros dos sois de lo peor.

—Es solo una ilusión —puntualizó Nico, aunque guardaba un tremendo parecido con ellos tres—. En realidad, no puede hacer nada. Incluso las más nuevas lo único que hacen es tirar arena y hablar demasiado.

«De momento», pensó Opal.

—¿Estás bien, Emma? —preguntó Tyler.

—Sí. —No obstante, se puso en cuclillas, en una reacción de lucha o huida. El Visitante la imitó. Opal se dio cuenta de que Emma estaba nerviosa.

—Ya basta. —Opal se puso las manos en jarras en las caderas—. Hagámoslo. Nada de rodearlo. Salimos disparados hacia el centro y luego nos dispersamos. Nos encontramos en el bote. ¿Entendido?

—A la de tres. —Nico tomó una gran bocanada de aire—. Uno. Dos. ¡Y tres!

Pasaron corriendo junto al Visitante, derechos a su amiga.

—¡Ya voy, Emma! —gritó Tyler.

Nico optó por un rugido, mientras que Opal chilló como una *banshee* a la vez que agitaba las manos en el aire. Al llegar donde estaba Emma, tiraron de sus brazos.

«NO».

El Visitante se abalanzó hacia ellos.

—¡Emma, corre! —vociferó Tyler.

Emma corrió hacia el bosque. Nico y Tyler salieron disparados por la orilla del estanque.

Opal se quedó donde estaba, haciendo señas al Visitante, mientras los demás huían. Él la miraba con mala cara, retorciendo los dedos largos y flacos. Entonces se puso tenso. Con sus dos ojos posteriores había visto huir a Emma.

«¡NO!».

—¡Vete, Opal! —gritó Nico.

Él y Tyler se adentraron entre los árboles. Opal se precipitó tras ellos, cerrando la marcha. El Visitante los persiguió a todos dando unos pasos largos y ágiles.

Opal corrió bosque a través, con los pulmones ardiendo y los pies volando por encima del terreno accidentado. Llegó a lo alto de la colina y miró a su espalda. El Visitante se abría paso ruidosamente entre la cubierta forestal. «NO, NO, NO».

Las ramas chasqueaban y arrojaban a Opal una explosión de hojas y agujas de pino rotas. Oyó que un tronco se precipitaba al suelo justo detrás de ella. «No lo conseguiré». Sin embargo, el bosque se hizo menos denso y vio que Emma cruzaba la playa con paso tambaleante.

—¡Métete en el agua! —gritó Opal.

Emma se tiró al océano. Opal se zambulló tras ella, con el aire frío helándole la respiración.

El Visitante se detuvo a la orilla de la cala y se quedó mirando a las dos chicas, que se alejaban a nado. Luego se volvió. Nico y Tyler empujaban desesperadamente el bote hacia las olas entre los chirridos de la quilla, que se deslizaba sobre rocas y arena. El Visitante avanzaba hacia ellos dando zancadas.

Opal flotaba al lado de Emma. Los chicos trataban de mover el bote con todas sus fuerzas. Al final entró en la corriente y puso rumbo al mar.

El Visitante dejó de moverse. Dio media vuelta y observó a Emma con sus grandes y profundos ojos ovalados. «Perdona».

De nuevo, Opal no oyó la palabra.

—¿Perdón por qué? —murmuró Emma, que también lo había notado.

Mientras lo miraban con atención, el Visitante brilló un instante y desapareció. Nico y Tyler se les acercaron remando y las ayudaron a subir a bordo. Todos se cayeron amontonados al fondo del bote, sin fuerzas ni siquiera para quejarse.

—Ostras —dijo Emma al final—. Esta ha sido la mejor hasta ahora.

—¿La mejor? —Nico se tapó los ojos—. ¿Me tomas el pelo?

—Era superreal —dijo Emma jadeando—. No parecía una ilusión para nada.

—Pues yo me alegro de que se haya ido. —Tyler se estremeció—. De que se hayan ido todas.

Opal se pasó la mano por el rostro. Mientras colocaba el remo, miró atrás, hacia la playa.

Y se quedó inmóvil.

—Chicos. Mirad.

Todos se volvieron.

—Qué diablos es esto... —susurró Tyler.

Salían ilusiones del bosque.

Un centauro. Una rana con un sombrero de copa. El elfo del polo Norte.

Formaron una fila en la arena. Sin hablar. Sin pestañear. Observaban.

Un matiz de miedo impregnó la voz de Emma.

—Oh —dijo—. Pues no, no se han ido todas.

TERCERA PARTE

EL TÚNEL

17

NICO

Nico estaba dispuesto a volver a casa.

Dispuesto a olvidar esas nuevas ilusiones tan extrañas que deambulaban por la isla y que se los quedaban mirando con esos ojos espeluznantes. Sin embargo, Opal insistió en regresar a la casa flotante de inmediato. Quería hablar, ahora, aprovechando que todavía estaban juntos.

Así pues, les enseñó el túnel.

Estaba justo donde les había dicho que estaría: en la parte posterior de la cueva, donde habían descubierto el bote. Era un pasadizo sombrío, polvoriento y destartalado, daba miedo, pero estaba ahí. A pesar de todo, Nico sonrió en la oscuridad. Ahora ya no tendrían que cruzar Still Cove a remo. Se acabó eso de mirar a las aguas negras mientras te imaginabas qué podía estar vigilándote desde abajo.

Ojalá Opal se lo hubiera dicho antes. Iba a comentárselo, pero al ver su expresión cambió de opinión. Era como si ella esperara que él sacara el tema. Para sorprenderla, hizo como si nada. La verdad es que Nico entendía por qué ella había esperado. Él habría hecho lo mismo en su lugar.

El túnel era tosco, pero no había duda de que era artificial. Usaban la linterna de los móviles para ver; cuatro círculos blancos muy definidos penetraban en el negro. Al llegar a una galería recta situada al final de las curvas, Nico se dio cuenta de que estaban bajo la cueva. «¿Opal ha venido sola hasta aquí? Caray».

Después de un centenar de pasos entraron en un espacio diáfano. Opal siguió avanzando sin detenerse, pero Nico ralentizó la marcha.

—Espera —alertó.

Los demás se detuvieron. Opal retrocedió unos cuantos pasos en el interior de la estancia.

—¿Pasa algo?

—¿Qué es esta sala? —Nico movió la linterna e iluminó un círculo de pared de piedra pulimentada.

La mampostería estaba más trabajada aquí que en todo el estrecho pasadizo.

—Nunca me he fijado, la verdad —admitió Opal—. No me gusta estar aquí sola.

Nico bajó la luz y descubrió un dibujo grabado en el suelo de piedra. Parecía una mano con una antorcha. Trató de imaginar quién se habría sentado allí, a oscuras, para labrar el dibujo en el implacable granito. Nico se estremeció.

—Da igual. Sigamos.

El túnel continuaba un poco más allá y luego empezó a subir con la misma pendiente tan pronunciada con que había bajado al principio. Nico tenía ganas de ver la luz del sol. Incluso la angustiosa isla cubierta de niebla era mejor que eso. Se alegraba de que existiera el túnel, pero sabía que nunca le gustaría atravesarlo.

Llegaron a una hondonada que Nico no había inspeccionado. Admiraba a Opal; que hubiera aparecido sin explicación alguna lo había desconcertado totalmente, y lo cierto es que había que tener mucho valor para pasar sola por esa galería.

Por suerte, en la zona que rodeaba el estanque no había ilusiones. Suspirando de alivio, entraron en la casa flotante a toda prisa cuando el sol empezaba a ponerse. Nico deseaba, más que nada en el mundo, que todas las criaturas se hubiesen ido. No quería volver a sentir sus miradas.

Dentro de la sala de exposiciones, Opal se volvió hacia el grupo con los brazos cruzados sobre el pecho.

—Bueno, debemos hablar muy en serio.

Emma deslizó una zapatilla por la alfombra deshilachada. Aunque costaba de creer, Nico la pilló observando la entrada oculta a Otromundo.

—Disculpad por esta última —farfulló con la cabeza baja—. Me dejé llevar por el ansia. No volveré a pensar en algo que dé tanto miedo.

—Es que no daba miedo —puntualizó Opal—. El Visitante era agresivo. Te bloqueaba el paso, Emma. Y creo... creo que me ha hablado mentalmente.

La mirada de Opal fue rápidamente de un rostro a otro, y se detuvo en el de Nico. Él asintió. También lo había sentido.

De repente, Emma levantó la cabeza.

—Pero ¿esto no es bueno? Las ilusiones son cada vez más reales. Más interactivas. ¡Más increíbles! Chicos, quizá podamos hacer cosas con ellas muy pronto. O saber de dónde vienen. O... o... cualquier cosa.

—Ya sabemos de dónde vienen. —Tyler fulminó a su amiga con la mirada. Parecía exasperado—. ¡Vienen de un remolino que no para de girar, que lee la mente y que está en el sótano de una casa flotante! Lo que es imposible. Nada de esto es posible. ¿Acaso no ves que esto se nos está yendo de las manos?

Cuando terminó de hablar le costaba respirar. El silencio llenó la sala. Emma era incapaz de mirar a Tyler a los ojos. Al apartar la mirada, Nico se fijó en el frasco del pedestal. Lo que había dentro había vuelto a cambiar, y el agua brillaba ligeramente con luz propia.

Nico lo señaló, pero Opal no prestó atención.

—No sabemos con qué nos enfrentamos —arguyó—. Al principio era solo un truco ingenioso. Otromundo nos leía la mente y creaba imágenes curiosas a partir de nuestros pensamientos. Pero es evidente que es más fuerte. Las ilusiones nuevas están haciendo cosas. Ese Visitante derribó un árbol. ¿Y si alguno de nosotros hubiera estado debajo?

—Ya he pedido perdón —murmuró Emma.

Tyler le puso la mano en el hombro y se lo apretó.

—Tranquila. Lo sabemos. Nadie te echa la culpa. —Lanzó una mirada severa a Opal.

—Claro que no te culpo —subrayó Opal, y se le subieron los colores a la cara—. Ninguno de nosotros lo hace,

Emma. Lo único que digo es que tenemos que saber más cosas antes de ir más lejos.

—¿A qué te refieres? —preguntó Nico. La sugerencia que había hecho Opal le había picado la curiosidad.

Opal inspiró y espiró profundamente.

—Creo que deberíamos investigar un poco.

Nico rio.

—Claro. Buscaré en Google «remolinos en casas flotantes» mientras tú vas a comprar un ejemplar de *Cómo manejar ilusiones chifladas.*

Opal lo miró con frialdad.

—Sabes dónde estamos, ¿verdad?

Nico paseó la mirada por la sala de exposiciones.

—Claro.

—¿Y qué es lo que hacíamos antes de encontrar la charca?

—Hacer un inventario —respondió Nico a la defensiva. «¿Adónde quiere llegar con esto?».

Opal ladeó la cabeza.

—¿Y cómo lo llevamos?

Nico se contuvo, reacio a entrar en el juego. Tyler parecía avergonzado.

—Pues no muy bien —respondió.

Opal sonrió triunfante.

—Exactamente. Y... ¿a alguien se le ha ocurrido que una colección como esta podría contener información relacionada con la centrifugadora sobrenatural que hay abajo?

Nico retorció los dedos de los pies dentro de los zapatos. Asintiendo en señal de rendición, examinó la sala con una mirada renovada.

—Deberíamos revisarlo todo: cajas, cajones, baúles, lo que sea. Hacer una lista de todos los libros que encontremos y luego echar un vistazo a los capítulos e índices. Debemos buscar todo cuanto tenga relación con Otromundo.

A Emma se le iluminó la cara.

—La historia de fondo. Sí. Un lugar como este debe de tener una historia increíble detrás.

—Debemos buscar también cosas sobre esta isla —añadió Opal—. Y sobre quienquiera que construyese la casa flotante o creara la colección. Todo tiene que encajar de una forma u otra.

—No debemos olvidarnos del túnel —intervino Tyler—. Caray, ni de Still Cove en general.

Llenos de energía, se pusieron en parejas: Opal y Nico se centraron en un montón de libros que había dentro de un enorme baúl naranja, mientras que Emma y Tyler empezaron a revolver en armarios cubiertos de polvo. Enseguida empezaron a cantar los títulos en voz alta y a tomar decisiones en grupo sobre cómo debían clasificarlos.

—¿*Armamento del siglo XIX*? —anunció Emma.

Opal frunció los labios.

—Mmm. Ponlo en el montón donde dice «Muy difícil».

Tyler sopló la tapa de otro volumen y levantó una polvareda.

—*Estudio topográfico de la costa de Washington*. Aquí puede que haya algo sobre Still Cove.

Nico asintió.

—Este es claramente un «Puede que sí».

Tyler estaba dejando el libro en una pila cuando Opal gritó.

—¡Chicos! ¡Escuchad! —Les mostró un tomo apolillado que parecía más antiguo que los demás—. *Fuerzas naturales y fantasmas: ciencia de las esferas de la mente.*

—¡Este es un bombazo! —exclamó Nico—. Haz otro montón.

Y así estuvieron durante media hora hasta que hubieron clasificado la mayoría de los libros. Bostezando, Nico se rascó la nuca. Habían encontrado algunas pistas aceptables. Además del hallazgo de Opal, había tres libros de historia sobre Timbers, una colección de leyendas de Skagit Sound, un conjunto de esquemas de casas flotantes y una libreta de piel con el título *Diario del portador de antorchas* grabado en la tapa.

Ahora bien, no habían encontrado nada que tuviera una relación directa con el pozo. Nico no pudo evitar sentirse desanimado. Entonces se reprendió a sí mismo. «¿Qué esperabas, un libro titulado *Otromundo para ineptos?*».

—Empezaremos con estos y veremos si nos dan alguna pista —dijo, tratando de parecer optimista.

Emma dibujó una sonrisa exageradamente grande y se mostró solícita como una dependienta.

—¿Y las pruebas que hacíamos en Otromundo? ¿Seguimos como hasta ahora?

—No es un buen plan —dijo Nico—. Opal lleva razón en que esto se nos ha ido de las manos. Debemos tener una idea de lo que es Otromundo antes de crear más ilusiones. ¿Trato hecho?

A Emma le cambió la cara.

—Entonces empecemos con la lectura.

—¿Esta noche? —Tyler consultó su reloj—. Ya ha anochecido, y mañana tenemos clase. —Se fue hasta la única ventana que había—. No veo ninguna ilusión ahí fuera, pero todavía podía haber algunas. ¿Nos ponemos ahora o nos vamos a casa?

Nico miró el móvil. No tenía mensajes, aunque tampoco había cobertura.

—Yo me quedaría un rato más.

—Mi madre tiene club de lectura esta noche —dijo Opal—. O sea que dispongo de dos horas más de margen.

Emma se encogió de hombros.

—Mis padres han ido al cine. Me puedo quedar hasta las diez al menos.

Tyler lanzó un quejido muy teatral, pero se acomodó en el suelo.

—¡Viva la investigación! —vociferó Emma, y los demás rieron.

—Voy a leer *Fuerzas naturales y fantasmas*. —Opal ya se había zambullido en el montón—. Quiero saber por qué algunas ilusiones duran horas y, en cambio, otras se desvanecen antes.

—Yo tengo una teoría sobre eso —sugirió Nico en voz baja.

Opal calló un momento.

—¿Ah, sí?

Nico se rascó la nariz, de pronto cohibido.

—No, nada. Es solo que, tal vez, las grandes consumen

más... energía, ¿sabes? No sé, son más fuertes, pero igual no pueden durar tanto por eso. Así, las ilusiones más pequeñas se mantienen con más facilidad, pero las grandes se apagan.

Opal se mordió la mejilla por dentro.

—Pero algunas que son pequeñas también han desaparecido rápido.

Nico miró hacia otro lado.

—Era solo una idea. Es probable que esté equivocado.

—No, no. —Opal asintió de un modo esperanzador—. Creo que vas bien. Está claro que las primeras ilusiones eran más débiles que las más recientes. Tal vez el tamaño también influya. —Arrugando la nariz, se puso el libro en el regazo—. Confío en que esto me lo aclare. Lo quiero saber todo sobre Otromundo.

—Yo también —dijo Nico.

Se sonrieron. Para Nico fue el primer momento de relajación que habían compartido desde muy pequeños. Era bonito volver a ser amigo de Opal. No había sido consciente de lo mucho que había echado de menos su amistad.

Al cabo de un segundo, la cortina se abrió.

Logan Nantes irrumpió en la sala de exposiciones.

18

OPAL

—Esto es más siniestro que tu casa, Holland.

Logan paseaba con aire despreocupado por el pasillo como si fuera el dueño del lugar. Sin embargo, Opal advirtió que lo observaba todo con los ojos muy abiertos.

Emma fue la primera en recuperar el habla.

—¿Se puede saber qué estás haciendo aquí? —balbuceó.

Era como si a Tyler y Nico les hubiese alcanzado un rayo. De pronto clavaron la vista en Opal, y a ella se le cayó el alma a los pies. Le echarían la culpa.

—Esta casa flotante no es tuya, ¿verdad? —Logan cogió un elefante de vidrio de color turquesa y lo lanzó al aire varias veces. Opal deseó que se cortara—. No he visto ningún cartel donde pusiera PROHIBIDO PASAR.

Opal respiró hondo.

—Te he seguido. —Durante un breve instante la miró directamente a los ojos. ¿Había dolor en su mirada más allá de la rabia?—. Es evidente que has estado ocultando algo desde que Holland perdió esa porquería de dron.

—¿Tú...? —empezó a decir Tyler, pero Logan lo interrumpió alzando la voz.

—Sabía que andabais por aquí, en alguna parte. —Volvió a mirar a Opal, y lo que fuera que ella había visto hacía solo un momento había desaparecido; en su lugar había una sonrisa perversa—. Aunque no creía que fuerais capaces de bajar hasta Still Cove. Caramba. Por poco tiro la toalla ahí arriba, en los acantilados, pero luego vi huellas en el barro y descubrí ese camino suicida tan ridículo. Cuando llegué abajo de todo oí vuestras voces, encontré la cueva, el túnel y «pum». —Dejó caer el elefante en la alfombra—. Aquí estoy.

—Vete de aquí. —Nico dio un paso hacia Logan y señaló la cortina—. Ahora.

—No. No quiero, y no me podéis obligar. —Logan cogió un libro del montón «Quizá» y pasó las páginas sin ningún esmero—. ¿Qué es este sitio, por cierto? ¿Qué es toda esta basura?

—Dame esto, Logan. —Opal se plantó delante de él y extendió la mano.

Logan dio un resoplido y pasó por al lado de ella.

Nico fue a toda prisa adonde estaba Opal.

—¿Se lo has dicho? —le preguntó él entre dientes.

Notó que Tyler y Emma la miraban.

—¡No! —Opal se cruzó de brazos—. Logan. Deja el libro.

—Querido diario —gimoteó Logan, simulando que

leía—. Me llamo Nico. Todos mis amigos son unos catetos. Además, estoy colgadísimo de Opal Walsh. ¿Qué puedo hacer para gustarle? Tal vez, si la llevo a una barcaza de basura secreta, ella...

—Cierra el pico —le espetó Opal.

Toda la simpatía que había podido sentir por Logan se evaporó.

Logan cerró el libro. A Opal casi se le escapó un suspiro de alivio al ver que lo dejaba donde lo había encontrado. No obstante, sus palabras habían sido un golpe muy duro para todos. Era tal la tensión que había en la sala que el ambiente era irrespirable.

Logan, con las cejas levantadas, dirigió la vista más allá de Opal. Ella siguió su mirada. En el frasco que descansaba en lo alto del pedestal, esa cosa verde tan extraña flotaba en posición vertical. Ahora lucía dos manchas oscuras. Semejaban ojos.

—Qué repugnante. —Logan se aproximó y dio un golpecito al cristal—. Chavales, ¿lo habéis robado de algún laboratorio biológico o qué?

Opal se abalanzó sobre él y lo agarró del brazo.

—No toques nada.

Logan le lanzó una mirada gélida.

—Quítame las manos de encima, Walsh.

«Ahora también me llama por el apellido».

Opal lo sujetó con más fuerza.

—Debes irte. No pintas nada aquí.

Logan se estremeció.

—¿Y tú sí?

Emma y Tyler se apresuraron a dar la vuelta al pedestal para que Logan no viera la pared del fondo. Pero Tyler no dejaba de mirar más allá.

—¡Quédate... quédate donde estás!

—Oh, vaya. —Logan consiguió soltarse de la mano de Opal—. Estáis ocultando algo, ¿no? —De un empujón apartó a Tyler y a Emma—. ¿Qué es lo que habéis encontrado? ¿Una cámara oculta llena de doblones de oro?

Dio un puñetazo a la pared. El panel se abrió de golpe y apareció la escalera.

Logan reculó, sorprendido.

—Oh, mierda. Lo he dicho de broma.

—Es la bodega. —Emma se encogió de hombros, fingiendo despreocupación—. Entra si quieres, pero yo no te acompaño. —Movió los dedos como si tecleara—. Arañas.

La estratagema casi funcionó. Logan se adentró en la oscuridad entornando los ojos, como si tuviera dudas. Entonces chasqueó la lengua.

—Sí, claro. —Sus pasos repiqueteaban en los escalones como toques de alerta mientras descendía al sótano.

—¡Logan! —Opal corrió tras él, y los demás la siguieron—. Eh, de verdad. ¡Ahí abajo es peligroso!

Opal bajó los escalones de dos en dos, y en el último perdió el equilibrio y embistió a Logan, que estaba de pie al filo de Otromundo.

—¿Qué es esto? —susurró, sin hacer caso del choque.

—Nada —respondió Tyler automáticamente.

—Un pozo —respondió Emma al mismo tiempo.

—Algo que te puede hacer daño. —Nico fue el último

en llegar abajo—. Confía en mí, Logan. Esta agua es peligrosa.

—Muy bien. Confío en ti. —Logan empezó a pasear alrededor del pozo—. ¿Por qué se mueve así?

Opal se quedó petrificada y no se atrevió a responder. «¿Y si toca el agua?».

—Ha sido culpa tuya —le dijo Nico entre dientes.

—¡Yo no lo he invitado! —A Opal le temblaban las manos.

Logan observaba Otromundo con un brillo feroz en su mirada.

Los ojos de Nico echaban chispas.

—Te ha seguido.

Emma miró hacia otro lado. La expresión de Tyler era un cúmulo de emociones, pero no dijo nada.

Opal no podía respirar. Todo era tan injusto... La hacían responsable de los actos de Logan. ¿Acaso era culpable de lo que había hecho él? No, claro que no. Ella respondía solo de sus actos.

—Estoy cansada de que os comportéis así conmigo —escupió Opal con los dientes apretados.

Nico se estremeció. Abrió la boca.

—¿Qué se comporten cómo? —Logan había dado la vuelta entera—. ¿Acaso tus amigos están siendo malos contigo, Opal? —Esta vez la había llamado por el nombre, pero eso no significaba nada. No con ese tono de burla con que lo había dicho. No después de que la hubiera seguido por Timbers y lo hubiera estropeado todo.

—Vete de aquí, Logan —dijo Opal.

—Ni lo sueñes. —Señaló el remolino de agua—. Quiero saber qué es esta charca y por qué le tenéis tanto respeto. —Y añadió con voz socarrona—: ¿Me convertirá en Spiderman o en algo así?

Nico levantó la mano.

—Te lo juro, este pozo es tóxico. Debes mantenerte alejado de él.

—Te creería, Holland. —Logan sonrió con ironía—. El problema es que eres un gallina.

Se arrodilló y acercó la mano al agua.

—¡No! —Opal corrió hacia Logan. Tenía que impedírselo.

Nico llegó primero. Aferró a Logan por el brazo y tiró de él hacia atrás.

—¡Suéltame! —Logan trató de zafarse de él, pero Nico resistió, y con el movimiento brusco los dos perdieron el equilibrio.

—¡Cuidado! —alertó Opal.

Agarrados por los brazos, los dos cuerpos se tambalearon, se inclinaron y cayeron.

Logan fue el primero en tocar la superficie. Durante un momento, el agua oscura se quedó quieta.

Luego los engulló por completo.

19

NICO

Nico sintió cómo lo envolvía el frío de Otromundo.

Se le agarrotó el cuerpo mientras era arrastrado al pozo negro sin fondo. Le invadió un pulso de energía, que lo atravesó. Quiso gritar, pero el líquido asfixiante lo oprimía por todos lados. Estaba empapado. Estaba helado. Estaba desvalido.

Entonces todo desapareció. Flotaba en un vacío. Durante días. Segundos. Un instante.

Igual que las otras veces, aunque había algo... distinto.

Notó otra presencia que forcejeaba con él. Se agitaba. Se retorcía. Era presa del pánico.

¿Logan?

La sensación se intensificó. Unas corrientes del más absoluto vacío dispersaron los pensamientos de Nico.

Debajo de ellos, Nico percibió una conciencia más profunda.

Algo turbio. Alienígena. Increíblemente antiguo.

Otromundo lo envolvió como una mortaja, lo estrujó y al instante sumió a Nico en un manto negro como la medianoche.

Su mente se quedó en blanco y no sintió nada más.

Nico se despertó jadeando y escupiendo al lado del estanque. Se tendió boca arriba.

—Oh, tío —articuló con voz áspera—. Oh, Dios.

Había atravesado el remolino multitud de veces, pero ese viaje había sido una pesadilla. De pronto la cabeza le pesaba horrores. Tenía los dedos morados, el cuerpo frío como un cubito de hielo.

Nico nunca se había sentido tan indefenso en el interior de Otromundo.

Nunca había notado a alguien más.

Se levantó rápidamente. Vio a Logan muy cerca de allí; había salido del estanque medio a rastras y no se movía. Nico fue hasta él como pudo.

Logan no respondió.

Nico extendió la mano hacia él, pero de pronto se detuvo.

«¿Debería tocarlo? ¿Y si tiene alguna herida interna?».

—Aguanta, chaval. —Nico se volvió. Una luna llena se elevaba por encima de la niebla, proyectando una media luz fantasmagórica sobre la isla. Vio a Opal, que saltaba por el camino de piedras, y a Tyler y a Emma, pisándole los talones—. ¡Aquí! —Nico los saludó con la mano; luego miró de nuevo a Logan, que gemía y se lamía los labios. El corazón de Nico empezó a latir otra vez—. Tú relájate, colega. Confía en nosotros. No... No sufras.

Logan vomitó en la hierba.

—¿Qué... qué ha pasado?

—Hemos caído en Otro... —Nico hizo una mueca—... en el pozo que hay debajo de la casa flotante. Hemos salido en el estanque. Dentro de nada estarás bien.

Sin embargo, Nico no lo tenía claro. Era la primera vez que alguien se zambullía en Otromundo en compañía de otra persona.

Opal y los demás corrían hacia ellos. Nico se quedó de pie. Movió el cuello, que le crujió. Al cabo de un instante, el suelo tembló bajo sus pies.

Nico se quedó inmóvil.

—¿Qué ha sido...?

En la isla se hizo el silencio.

Se le erizaron los pelos de la nuca.

Logan se aferró a la hierba.

—Oh, Dios, estoy hecho una piltrafa. —Se puso de rodillas y miró a Nico con los ojos desorbitados—. ¿Se puede saber qué ocurre? ¿Qué era eso... eso que había en el agua? ¿Qué diablos hacéis aquí?

—¡Chist! —Nico le hizo un gesto con la mano para que se callara—. Algo no va bien.

—¡Pues claro que hay algo que no va bien! —Logan se levantó tambaleando—. Me ha succionado una especie de embudo y... y... —Apuntó a Nico con un dedo—. Dime ahora mismo qué es lo que os traéis entre manos tú y tus amigos frikis o...

El suelo tembló por segunda vez.

—¡Cállate, Logan! —Al instante Nico trató de echar un vistazo a su alrededor—. No entiendo lo que ocurre. Deberíamos regresar a la casa flotante.

—¿Donde está el remolino? —Logan miró a Nico horrorizado—. Ni hablar. No pienso acercarme a esa cosa. —Le castañeteaban los dientes—. ¿Has...? Te juro que me ha parecido notar algo. Como si hubiera alguien en el agua con nosotros.

Un árbol crujió. Se oyó algo parecido a un latigazo y, seguidamente, un pino solitario resquebrajado se desplomó en el barro, a unos diez metros de donde estaban.

—Oh, no —susurró Nico.

—¿Qué ha sido eso? —gritó Logan con la voz entrecortada.

De la penumbra surgió una monstruosidad colosal que hacía un ruido metálico. Medía unos cuatro metros y medio de alto y llevaba una túnica oscura con la capucha echada hacia atrás. Un olor a huevos podridos invadió el campo.

La luz de la luna penetraba en la neblina e iluminaba el rostro de la ilusión. Unos ojos redondos y brillantes de color negro flanqueaban su nariz venosa y protuberante. De la boca le sobresalían dos colmillos afilados.

—¡No! —Logan reculó, tambaleante, en estado de shock—. ¡No puedes ser real! ¡Hace años que dejé de jugar, lo prometo!

Nico se volvió rápidamente hacia su compañero.

—¿Qué es esto?

—Volg —respondió Logan, casi lloriqueando—. Es el rey ogro.

La pesadilla les lanzó una mirada despiadada.

—Invasores —gruñó con sus mandíbulas babeantes, aunque su voz tenía un timbre metálico—. ¡Los humanos no tienen cabida en mi imperio!

Unos rayos le chisporrotearon por las mangas cuando la criatura desenfundó un sable enorme y lo alzó a la vez que profería un rugido estremecedor. La hoja del arma escupió fuego.

Nico soltó un grito ahogado y se le heló la sangre.

—Estamos jodidos. ¡Esto no es un ogro!

Gracias al sable en llamas y a la túnica eléctrica, Nico pudo ver mejor el rostro de la criatura. Su piel era de metal líquido. Los colmillos eran clavos de acero. Tenía la letra M grabada en mitad de la frente.

—Ese es Mordan —susurró Nico, boquiabierto—. El guardián de los caminos.

De pequeño, Nico solía ver dibujos animados japoneses junto con su hermano mayor. Mordan era un monje robot cuyo cometido era custodiar los infiernos en el planeta Hexra. Cada vez que Nico veía a Mordan, quedaba atemorizado. Después de tres episodios y un sinfín de pesadillas, Nico dejó de ver los dibujos definitivamente.

Sin embargo, ahí estaba el dios robot. Aunque... ¿por qué tenía aspecto de ogro?

Logan, al lado de Nico, jadeaba aterrorizado. Había retrocedido tanto que se había metido en el estanque y el agua le llegaba a los tobillos, pero no parecía darse cuenta.

—*Guerras de ogros* no es más que un videojuego estúpido. ¡Dejé de jugar cuando tenía diez años! —Agarró bruscamente a Nico por el brazo—. ¿Por qué veo a Volg? ¿Por qué es de metal?

—¿Volg? Pero si es Mordan.

Entonces lo supo. En Otromundo habían entrado dos personas. Una figura horrible había salido.

—¡Habéis mancillado el cementerio de Hexra! —retronó la voz de Volg-Mordan—. ¡La guerra continúa! ¡Debéis ser DESTRUIDOS!

La criatura dio la vuelta al sable y lo clavó en el suelo.

Eso fue suficiente para los dos.

—¡Corramos! —gritó Nico, y eso fue lo que hizo. Logan iba un paso detrás de él.

El aire silbó por encima de la cabeza de Nico. Oyó un golpe que lo zarandeó todo, seguido del zumbido de un metal en movimiento.

—¡Nos quiere matar! —gritó Logan, que por poco se cae de bruces, presa del pánico. Nico lo cogió del codo para que recuperara el equilibrio y se aventuró a mirar atrás. El sable estaba incrustado en el tronco de un roble. Unos gigantescos brazos de robot intentaban arrancarlo con todas sus fuerzas.

«Trata de matarnos. ¡Una ilusión! ¿Qué es lo que sucede?».

Corrieron derechos a Opal, Tyler y Emma, que estaban a la orilla del estanque.

—¡Atrás, atrás, atrás! —gritó Nico—. ¡Este es un asesino!

Los demás giraron sobre sus talones, pero Logan se detuvo en seco. Se quedó mirando a Nico con los ojos como platos y resoplando como un caballo de carreras asustado—. ¿Este? ¿Qué quieres decir con *este*?

Nico cogió a Logan por el hombro.

—¡Ahora no es el momento! Esperaremos dentro de la casa flotante hasta que esta cosa haya desaparecido.

Logan se zafó de él con una sacudida.

—Estás loco —murmuró—. ¡Todos lo estáis!

Antes de que nadie pudiera detenerlo, Logan echó a correr, dejando atrás el caminito de piedras, y dio la vuelta por la orilla más alejada del estanque en dirección a la hondonada que ocultaba el túnel. Lejos del dios ogro, que bramaba empuñando un sable de lo más afilado.

—¡Adentro, ahora! —gritó Nico.

—¿Y Logan?

—¿Y nosotros? —dijo Tyler.

Emma ya estaba en la segunda piedra, saltando hacia la casa. Los demás la siguieron como una bandada de pájaros deslucidos.

Nico oyó que algo crujía debajo de él y, acto seguido, un rugido furioso. No se detuvo. No miró atrás. No respiró hasta que sus zapatillas pisaron el porche. Allí dio media vuelta, aterrorizado, convencido de que un sable ardiente lo decapitaría. Sin embargo, la ilusión se había quedado embarrancada cerca de la orilla. Tenía un pie en tierra firme y otro en el estanque. La primera piedra del camino se había agrietado bajo su peso, y ahora su pierna izquierda estaba enterrada en el barro. La túnica de la criatura centelleaba y siseaba. El sable ardiente se apagó. Volg-Mordan rugió con furia. Dio otro paso, y se hundió hasta la cintura.

—¡Pesa demasiado! —Tyler casi sollozaba de alivio—. Puede que no nos atrape.

El ogro robot logró salir del agua y se quedó de pie en la oscuridad, chorreando, con la vista fija en la casa flotante. Un bramido surcó las aguas. La criatura empezó a dar la vuelta al estanque.

—No hay otra forma de llegar hasta la casa flotante —comentó Nico, que trataba de contener su pulso desbocado—. Creo... creo que estamos a salvo. A no ser que Volg-Mordan sepa volar. —Sonrió nervioso.

—¿Volg? ¿Mordan? —Opal se secó el sudor de la frente—. ¿De qué hablas?

Nico notó que le faltaba adrenalina.

—Os lo explicaré dentro. De todos modos, no podremos salir hasta que ese monstruo haya desaparecido.

La ilusión tardó dos horas en desaparecer, pese a que era enorme, sabía hablar y destrozaba todo cuanto había a su alrededor. Nico explicó su teoría sobre el doble monstruo, que era el resultado de su imaginación y la de Logan combinadas. Mientras el ogro robot daba vueltas en círculo y clavaba el sable en el suelo, el grupo se zambullía en los libros que habían recopilado en busca de algo que tuviera relación con Otromundo.

Nico estaba sentado junto a la ventana cuando el monstruo al fin desapareció. Notó el cosquilleo fantasmagórico de una espada que pendía sobre su cuello. Comenzó a sudar.

Puede que la criatura que había fuera se hubiera ido, pero la advertencia no dejaba lugar a dudas.

Una ilusión había intentado matarlo.

20

OPAL

Eʟ ᴀᴛᴀQᴜᴇ ᴅᴇ ʟᴏs ʀÁʙᴀɴᴏs ᴀsᴇsɪɴᴏs: ¡ᴇsᴛᴇ sÁʙᴀᴅᴏ!

El cartel estaba colgado sobre la entrada de la biblioteca pública de Timbers, al otro lado de la calle.

—¿Qué diablos significa eso? —dijo Opal. Se preguntó si había olvidado algo. ¿Acaso habían pensado en unas hortalizas vivientes en algún momento? ¿O es que estaba perdiendo la cabeza?

—Es una película de terror. —Emma levantó el pulgar con entusiasmo—. La pasan el día de la fiesta por la noche, después del concurso.

—¿Rábanos asesinos? —Nico miró el cartel con los ojos entornados—. Creía que eran tomates.

—En la película, sí —aclaró Emma—. Pero voy a tener un micrófono en directo y, cada vez que alguien diga «tomates» en la película, se supone que yo debo gritar «ʀÁʙᴀɴᴏs» muy fuerte.

—Ostras. —Tyler negó con la cabeza.

Emma asintió con conocimiento de causa.

—Suerte que me sé muy bien los diálogos.

Estaban sentados en la escalera de la escuela. En cada farola, unos carteles con rábanos muy sonrientes daban la bienvenida a los residentes de Timbers. Sin embargo, muchos adultos parecían preocupados, como si estuvieran convencidos de que el futuro de Timbers dependiera del éxito de la fiesta. Casi todo el mundo había participado de algún modo, incluso los más jóvenes. La mayoría no se mostraban tan relajados como Emma.

—Deberíamos volver a quedar —sugirió Opal—. Tuve algunas pesadillas por culpa de ese ogro robot. Las cosas se ponen mal, chavales.

—Lo sé, pero yo no puedo ahora. —Nico se frotó la sien como si quisiera evitar un dolor de cabeza—. Esta noche mi padre ha llegado a casa antes que yo y me ha echado la bronca por haberme retrasado. Además, tengo una prueba de vestuario para el desfile.

—Podría ser peor. —Opal cerró los ojos con fuerza—. Yo tengo un ensayo privado del baile. Mi madre quiere ver mi número.

Nico dio un resoplido.

—¿Y tú, Ty? ¿En qué te han liado?

—En el concurso de comer rábanos. —Tyler se tapó la cara—. Mi madre es la responsable.

Emma se encogió.

—Qué asco. Todo el mundo se pondrá malo.

Tyler se rio con expresión seria.

—Que alguien traiga las bolsas para el vómito, es lo único que digo.

Opal se rio. Era tan ridículo perder el tiempo en esa tontería después de lo que habían visto el día anterior... Después de lo que habían hecho.

—Esta fiesta está condenada —sentenció Emma alegremente—. Con tantas ideas malas de repente.

Opal se quitó la goma que le aguantaba la trenza y se la puso de nuevo.

—Quiero decir que los rábanos están bien, supongo. Tienen un color muy bonito. Sé que Timbers manda un montón a restaurantes de Seattle. Ahora bien, ¿de veras que esta es la mejor idea que podía tener la ciudad?

—¿Qué es lo mejor de Timbers? —preguntó Nico.

Opal advirtió un deje de amargura en su voz.

—Todo —respondió Opal, sorprendiéndose a si misma. Nico la fulminó con la mirada, y ella buscó las palabras adecuadas—. Los cultivadores de rábanos, el aserradero, todo.

Opal extendió los brazos, tratando de abarcar toda la ciudad. La calle principal y sus farolas de estilo antiguo. Overlook Row, con sus preciosas casas pintadas situadas frente al mar. La pizarra de delante de la cafetería, con los platos especiales del día apuntados. El muelle en pendiente, los parques verdes, la biblioteca de ladrillo rojo. Las montañas, los campos y los bosques.

«¿No era eso más que suficiente?».

—La verdad es que es un sitio muy bonito para vivir. —De pronto Opal se sintió inmensamente orgullosa de su pueblo natal. Y, a la vez, horrorizada de que pudiera estar en peligro. Miró a Nico y se preguntó si pensaba lo mismo.

—Pues bien, esto es lo que debemos hacer. —Opal se acercó rápidamente a sus amigos para que nadie más pudiera oírla—. Primero deberíamos regresar a la casa flotante y seguir estudiando esos libros. Para averiguar a qué nos enfrentamos.

—Se acabaron los chapuzones en Otromundo —dijo Emma con tristeza.

Opal asintió con la cabeza.

—Solo hasta que sepamos más.

Nico se cruzó de brazos.

—Y, en segundo lugar, debemos decidir qué hacemos con Logan —dijo.

—Sí. —Opal suspiró. Los escalones de hormigón le helaron las piernas a través de los tejanos. Una hoja arrugada se deslizó sobre su zapatilla—. Hablaré con él. —Era la única a quien podría escuchar.

La noche del día anterior Logan había huido, presa del pánico. ¿A quién se lo habría contado? ¿Qué haría a continuación?

Opal se había sentido algo aliviada al ver que no estaba en clase a la mañana siguiente; así no podría chismorrear con sus amigos. De todos modos, en este preciso instante podría estar en casa hablando con sus padres. O con la policía. Con el FBI. Con cualquiera. ¿Y si un comando especial se dirigía ahora en coche hacia Still Cove para investigar lo que había dicho Logan?

—Hablando del rey de Roma. —Tyler chasqueó la lengua—. Ahí lo tenemos.

—¿Cómo? —Opal dio media vuelta. Había dado por hecho que tendría tiempo para ordenar sus pensamientos y darle a Logan un trato de amigo a amigo. O de persona a persona. Sin embargo, en ese momento el BMW descapotable de su madre entraba en el aparcamiento.

—Mierda —dijo Opal a nadie en concreto. Los demás se habían escabullido en varias direcciones.

«Cobardes».

—¡Eh, señora Nantes! —gritó Opal mientras la madre de Logan salía y cerraba la puerta. La voz alegre de Opal le resultaba falsa incluso a ella misma.

Logan permaneció en el coche, con la mirada al frente.

—Hola, Opal. Logan no se encuentra bien, y voy a decirle al director del concurso que no va a poder asistir al ensayo. —La señora Nantes parecía preocupada.

En cuanto la señora Nantes entró en el colegio, Opal corrió hacia el coche y llamó a la ventanilla. Al principio Logan no le hizo caso, y ella golpeó con más fuerza. «No pienso irme». Con una mueca, finalmente bajó el cristal.

—¿Qué? —dijo sin entonación.

—Quiero asegurarme de que estás bien. —Intentó buscarle la mirada, pero él seguía mirando al frente a través del parabrisas—. Por favor, no digas nada de la casa flotante ni de lo que ocurrió. No antes de que podamos explicarlo.

—Lo que ocurrió.

—Sí.

—Los dos sabemos qué ocurrió, Opal. —Entonces la miró con unos ojos gélidos que daban miedo. Enajenados—. Tú y Nico intentasteis ahogarme. Y luego tuve un ataque de nervios.

—No, Logan, escucha. Caísteis. Después...

—Oye, lo he captado, ¿vale? Me la teníais jurada por lo del dron. —Logan bajó la cabeza y la apoyó en el salpicadero—. Con vuestro pozo enfermizo y siniestro. Espero que estéis orgullosos. Ahora me encuentro mal. Creí... creí que... lo peor que hay dentro de mí sigue... —Se estremeció—. Déjame en paz.

Logan subió el cristal de la ventanilla en las narices de Opal.

Ella se quedó allí, estupefacta. Era como si los separara un muro y no un fino cristal. Con una desazón incómoda, Opal regresó a toda prisa al colegio.

Logan no lo sabía, pero había apuntado lo que a ella la asustaba sobre Otromundo.

¿Acaso el pozo sabía quién eras realmente? ¿Conocía tus pensamientos más oscuros, ocultos en lo más hondo de ti?

21

NICO

Hacía un tiempo infernal.

En Still Cove no solía hacer viento, y el ambiente era frío y húmedo, pero aquella tarde soplaban unas corrientes gélidas, y Nico tuvo que meterse las manos en los bolsillos. La niebla se arremolinaba y bailaba en vez de estar suspendida como un calcetín mojado.

Emma tuvo un escalofrío al salir del túnel.

—Esto es como una película de detectives antigua en blanco y negro. Muy de cine negro.

Tyler le lanzó una mirada angustiada.

—¿Y no suelen acabar mal, estas películas?

—Sí, casi siempre.

—Genial.

Opal fue la última en salir y el grupo empezó a ascender la cuesta rocosa.

—Démonos prisa. —Tyler se soplaba las manos mientras subía—. Esto de estar fuera todo el día está acabando con la paciencia de mis padres. Si no estuvieran ocupados volviendo a pintar el embarcadero para la historia esa de los rábanos, ya me habrían pillado.

—A nosotros se nos han agotado las sillas plegables en la tienda —comentó Emma—. Y eso que mi madre hizo un pedido más grande de lo habitual. Tampoco nos quedan bocinas de aire comprimido. Este podría ser el desfile más odioso de todos los tiempos.

—Maravilloso —murmuró Nico—. Yo iré disfrazado de rábano cuando me revienten los tímpanos.

Opal se sorbió la nariz.

—Al menos tú no tienes que bailar como un rábano.

La boca del túnel no estaba lejos del estanque, pero quedaba justo al otro lado, cerca del extremo septentrional de la isla. Normalmente veían la casa flotante desde la cima, pero una bruma muy densa se elevaba del agua como el vapor humeante de una taza de café. Opal se rodeó con los brazos para entrar en calor.

—¿Crees que la sala de exposiciones tiene chimenea?

Nico se encogió de hombros y se subió la cremallera de la chaqueta hasta arriba.

—Tal vez haya un sistema de climatización. Buscaré el termostato la próxima vez que vaya al lavadero.

Opal lo miró parpadeando y luego soltó una risotada.

—Entendido. Mira al lado de las máquinas expendedoras.

A Nico se le dibujó una amplia sonrisa en la cara, satisfecho de haber hecho reír a Opal. Le sabía muy mal haberle echado la culpa de que Logan los hubiera descubierto. Le había pedido perdón mientras esperaban que el ogro robot desapareciera, pero no estaba totalmente seguro de que ella hubiera aceptado sus disculpas.

Ahora eran un equipo. Acusarse unos a otros ya no era una opción. Lo había olvidado en el calor del momento, pero Nico pensaba que Opal no habría actuado igual. Se prometió a sí mismo que no volvería a cometer ese error.

—¿Qué es lo que tiene tanta gracia? —preguntó Tyler.

Opal miró a Nico, riendo todavía, e hizo un gesto para quitar importancia al asunto.

—Solo intentábamos descifrar la contraseña del wifi de la casa flotante.

Tyler frunció el ceño.

—Otromundo1234. Es de cajón.

Rio, y los demás hicieron lo mismo. El grupo se estuvo riendo a carcajada limpia durante unos breves instantes, pese a la oscuridad y el viento. «Al menos nos tenemos unos a otros», pensó Nico. Ya era algo, pero algo grande también.

Entonces un aullido atravesó la niebla, y la buena sintonía se acabó.

Nico se puso tenso, como un animal acorralado.

—¿Qué ha sido eso?

—No lo sé —susurró Tyler, mirando a su alrededor—. ¿Un lobo?

Opal negó con la cabeza.

—Si una manada de lobos viviera en la isla, lo sabríamos. A estas alturas, ya se nos habrían presentado.

—Creo que ha venido de la misma dirección del viento.
—Nico señaló hacia el estanque, que era adonde querían ir. Otro gemido aterrador resonó por la cima.

—Muy bien, cambio de planes. —Tyler empezó a retroceder hacia el túnel—. Huir de aquí y no morir.

Nico estaba a punto de decir que sí cuando, entre la bruma, aparecieron dos círculos de un rojo intenso que le helaron la sangre y lo dejaron paralizado.

—Oh, oh —gimoteó Emma—. Qué ojos tan antipáticos.

Las esferas los observaron en silencio durante un momento, y luego se les aproximaron. Una ráfaga de viento barrió la cima de la colina y dispersó la bruma, y entonces apareció un cuadrúpedo parecido a un rinoceronte, pero recubierto con un hirsuto pelo rojo. Dos cuernos infames le sobresalían de la cabeza.

Nico tragó saliva.

—Esto es una ilusión. ¿Quién la ha llamado? —Como nadie le respondió, los miró a todos con exasperación—. Es el juego de los acusicas, pero debemos saber qué es capaz de hacer esa criatura. Que confiese quienquiera que lo haya hecho.

La criatura estampó en el suelo una de sus pezuñas monstruosas. Echaba vapor por los orificios del hocico.

Seguía sin haber respuesta. Nico se disponía a repetir la pregunta cuando la bestia gruñó, sacudiendo la cabeza de un lado a otro.

—Esto no pinta bien —murmuró Tyler—. Yo veo muchos programas de *Animal Planet*. Me temo que está a punto de...

La criatura se lanzó a la carga, y en un instante ya la tenían encima. Nico se echó a un lado y la bestia pasó de largo, con los cuernos apuntando al frente como unas púas mortíferas. Se metió en el socavón.

Nico volvió a subir la cuesta y buscó a sus amigos desesperadamente. Opal había desaparecido. Tyler y Emma corrían hacia el estanque. La criatura daba media vuelta con torpeza. Su rugido hizo temblar la isla.

Nico seguía a Tyler y a Emma.

Los alcanzó en el campo, a la orilla del agua. Miró atrás. El rinoceronte enfurecido había empezado a bajar por la cuesta y se precipitaba tras ellos. Nico se dio cuenta de que era imposible que llegaran al caminito de piedras antes que el animal.

—¡Al bosque! —gritó.

Los tres se desviaron hacia el bosque y corrieron a ponerse a cubierto. La ilusión los perseguía desbocada, golpeando ramas y arrancando arbustos mientras se abría paso entre los árboles.

—¡Seguid! —ordenó Nico—. ¡Es una mole, se quedará atascada!

Sin embargo, a juzgar por los sonidos de destrucción que escuchaban detrás de ellos, los árboles no parecían ralentizar su marcha.

—¿Dónde está Opal? —chilló Emma.

—¡No lo sé! Debe de haber escapado. ¡Solo nos persigue a nosotros!

Nico rezaba para que eso fuera verdad, pero no había tiempo para investigar. El ruido se oía cada vez más cerca.

Mientras corrían hacia el corazón del bosque, Nico se desorientó por completo. Temió que pudieran caerse por un acantilado.

Llegaron a un prado escondido. Nico guió a Emma y a Tyler a través de él tan deprisa como pudo, pero la criatura surgió de entre los árboles al cabo de un momento, ladeando la cabeza y gruñendo. Demasiado tarde. Nico se dio cuenta de su error: había escogido un descampado. Eran un blanco seguro.

De pronto Opal apareció al otro lado del prado, agitando las manos ostensiblemente.

—¡Aquí! ¡Deprisa!

Nico, Tyler y Emma corrieron hacia ella.

El rinoceronte rojo los perseguía entre bramidos, arrancando la hierba.

Entonces Opal hizo una locura. Echó a correr hacia la izquierda, sacudiendo los brazos y gritando.

Nico por poco tropezó, sorprendido. Tyler y él pasaron un montículo y de repente no notaron nada bajo sus pies. Se cayeron de cabeza en un riachuelo. Al cabo de un instante, Emma aterrizó encima de ellos con un doloroso golpe.

—Ay —gimió Nico.

—Estoy muerto —dijo Tyler medio asfixiándose—. Por tu culpa.

—¡Perdón! —susurró Emma.

Casi sin aliento, Nico observó que Opal saltaba por la elevación tras la que quedaba oculto el riachuelo. Nico no podía ver el rinoceronte enfurecido, pero sí lo oía: el animal frenó de golpe a menos de diez metros de donde estaban agazapados. Con un rugido, se volvió y salió disparado detrás de Opal, que había dejado de correr y toqueteaba algo que había en el suelo. Entonces empezó a saltar arriba y abajo.

El monstruo cargó contra ella.

Opal dejó de saltar y se quedó inmóvil como una estatua.

—Opal, no —murmuró Nico, pero no podía hacer nada para evitarlo.

El monstruo se aproximó. Opal se mantuvo firme. Justo en el momento en que todo hacía pensar que la ensartaría y pisotearía, la ilusión desapareció.

Nico se puso en pie de un salto.

—¿Cómo lo ha sabido?

Un aullido retumbó en sus oídos. Nico se estremeció, todavía más confuso. Opal estaba de pie en el mismo sitio, con las manos apoyadas en las rodillas y respirando profundamente. Mascullaba algo con los ojos cerrados.

Nico ayudó a Tyler y a Emma a salir del riachuelo.

—¡Vamos!

Fueron corriendo hacia Opal. Ella se enderezó y levantó las manos.

—¡Parad!

Nico se detuvo en seco, extendiendo los brazos para contener a sus amigos.

Entonces lo vio, y todo cobró sentido.

Un socavón estrecho dividía el suelo. Opal estaba al otro lado. El rinoceronte se había despeñado por el barranco y no le había hecho ninguna gracia. Se agitaba airado, incapaz de subir.

Opal sonrió tímidamente.

—No quería que vosotros también cayerais. Eso habría arruinado el plan.

Tyler se quedó mirando a Opal lleno de asombro.

—¿Cómo has...?

Opal le dio un puntapié a una tabla gruesa que tenía a los pies.

—Esto estaba puesto para poder pasar. Cuando me he separado de vosotros, chavales, he corrido en esta dirección y luego he visto a Nico en el descampado. —Hizo un gesto vago con la mano—. Todo ha cuadrado.

—Y que lo digas. —Emma parecía realmente impresionada—. Eres como Lara Croft.

Opal resopló, insegura.

—Casi me lo hago encima.

Nico echó un vistazo a la ilusión, que no paraba de gruñir.

—Pero a ver, ¿de quién es? ¿Alguien entró en Otromundo después de Logan y de mí? ¿O justo antes?

Los demás negaron con la cabeza. Nico desconfió durante un momento, pero luego lo pensó mejor. Se acabó eso de acusarse unos a otros. Él confiaba en todos los del grupo. Sobre todo en Opal, que acababa de arriesgar su vida por ellos.

Pero entonces... ¿de dónde había salido la ilusión?

De pronto supo la respuesta, como una lanza que perforara sus entrañas.

—De Logan.

—Imposible —replicó Opal al instante—. He hablado con él. No ha vuelto. Está cagado de miedo.

Nico puso mala cara, contrariado.

—¿Entonces quién, Opal? Es la única persona, aparte de nosotros, que sabe lo de Otromundo, y esta mañana no se le ha visto el pelo en el colegio.

Opal abrió la boca y luego la cerró. Una expresión de preocupación apareció en su rostro.

Emma dijo con un hilo de voz:

—¿Y si ha aparecido sola?

Nico frunció el ceño.

—Eso es imposible. Las ilusiones aparecen cuando alguien entra en el remolino. Es así como funciona.

—¿Cómo lo sabemos? —Emma lo miró seria—. Todo son suposiciones.

—Necesitamos respuestas. —Tyler se dio un puñetazo en la palma de la mano—. Esta vez va en serio. Basta ya de juegos y de tonterías. Alguien construyó la casa flotante, lo que significa que conocía la existencia del pozo. Tiene que haber dejado algún tipo de pista.

Opal asintió con la cabeza desde el otro lado del socavón.

—Me preocupa que hayamos empezado algo que no podamos detener.

Una especie de chasquido sobresaltó a Nico. La ilusión había desaparecido. Tyler suspiró aliviado, pero entonces se quedó quieto mirando al interior de la zanja con los ojos entornados.

—¿Chicos? Hay otra cosa ahí abajo.

Nico se asomó al borde.

—Ty tiene razón. ¿Puede que sea una... chaqueta?

—Más que eso. —A Emma se le hizo un nudo en la garganta—. Veo a una persona. O lo que queda de ella.

Opal miró abajo, a continuación colocó la madera sobre el socavón y rápidamente cruzó al otro lado. Lanzó un enorme suspiro al reunirse con ellos. Nico se dio unos toquecitos en la barbilla y luego tiró de la tabla hacia atrás hasta que el otro extremo cayó en la cavidad. Antes de que nadie pudiera protestar, Nico apoyó la madera en el lado de la hondonada y se deslizó por ella como si fuera una rampa.

—Nico, anda —se quejó Tyler—. ¿Acaso no hemos tenido bastantes emociones por hoy?

Nico no le hizo caso; el corazón le latía con fuerza.

—Es un esqueleto —dijo al final. Los huesos, aun así, estaban bien colocados, unidos por un uniforme de lona con la cremallera abrochada y una gruesa chaqueta de invierno para hombre. Era un milagro que la ilusión no los hubiera aplastado. Una raída gorra de béisbol yacía al lado del esqueleto. Nico reconoció el logo de inmediato, y el estómago le dio un vuelco—. Este tipo trabajaba para la Nantes Timber Company.

—¿Sabes quién es? —le preguntó Opal—. ¿Hay una cartera o algo así?

«Quiere que lo toque». Aun así, Nico sabía que no tenía elección. Buscó en los bolsillos de la chaqueta. Nada. Así pues, tragó saliva y abrió la cremallera. Bajó unos centímetros y luego se quedó atascada. Nico reculó, limpiándose a toda prisa las manos en los tejanos.

—No he encontrado nada.

—Vale. —Opal se apretó la trenza con ambas manos—. No deberíamos molestar a los muertos.

Emma y Tyler asintieron solemnes.

Nico se sacó el móvil y tomó un par de fotos, por si acaso. No quería volver a bajar allí. Se disponía a subir por la madera, antes de que le entrara un ataque de canguelo, cuando le llamó la atención algo que el esqueleto tenía alrededor del cuello.

Casi a regañadientes, Nico se arrodilló. El esqueleto llevaba un adorno en una cuerda. Descansaba sobre una clavícula cortada por una abultada línea marrón, como si el hueso se hubiera roto pero no lo hubieran colocado en su sitio. Tomó una última foto.

Algo agitó las hojas que tenía a sus pies y Nico se acobardó. Se plantó de un salto en la madera y salió corriendo de la cavidad como si lo persiguieran. Los demás le dieron unas palmadas en la espalda hasta que dejó de temblar.

—¿Qué has visto? —le preguntó Emma.

—Un collar. —Nico tenía la boca seca—. Lo he dejado donde estaba.

—¿Como los que aparecen en esos cuadros de la casa flotante? —le preguntó Opal.

Nico parpadeó y luego buscó la foto en su móvil.

—Pues sí. —Se la enseñó a Opal—. Como el grabado del túnel también. Pero ahí abajo no había nada que pudiera ser de utilidad.

—Nada no —rebatió Tyler—. Has dicho que el esqueleto llevaba un uniforme de la Nantes Timber, ¿verdad?

Nico asintió con la cabeza, y sus sospechas sobre Logan se reavivaron. Tyler se frotó la barbilla.

—Si ese pobre infeliz trabajaba en el aserradero, tiene que haber algún tipo de documentación.

Emma arqueó una ceja.

—Apuesto a que la podríamos encontrar.

—Nosotros no —dijo Opal, e intercambió una mirada con Nico—. Pero sabemos quién sí podría.

Hubo un momento tenso y luego todo el mundo habló a la vez.

—Logan.

22

OPAL

Opal llamó a la puerta principal de la casa de Logan.

Oyó un golpe seco y miró atrás, por encima del hombro. La cabeza de Tyler se agachó detrás de los cubos de basura donde se escondían él, Nico y Emma.

—Qué discreto —murmuró Opal.

El sol se hundía más allá de los robles que bordeaban Overlook Row, proyectando unos destellos rosados, rojizos y dorados.

No respondió nadie.

Opal llamó al timbre, a la vez que examinaba la pintura tan ornamentada de la casa de Logan. La madre de ella estaba obsesionada con volver a pintar su nuevo hogar con una «precisión histórica», por lo que, en ese momento, el exterior era una amalgama de distintas tonalidades de amarillo en su búsqueda del matiz perfecto. Otra cosa que Opal no entendía.

Tocó el colorido revestimiento exterior, pensando en toda la gente que había vivido allí. En las personas que habían vivido hasta que habían muerto y se habían convertido en esqueletos. Opal se estremeció. Debía descubrir qué le había ocurrido a ese hombre. Tenía remordimientos de conciencia por no haber avisado al *sheriff*, pero era demasiado arriesgado. Hablar del esqueleto significaría desvelar lo de Otromundo.

—Supongo que no está en casa —gritó susurrando Nico desde la acera.

Sin embargo, justo entonces la puerta se abrió y Opal se encontró de frente con Sylvain Nantes.

—Ah, hola. —Esperaba que saliera Logan o su madre—. Esto... ¿está Logan por aquí?

—Hola, Opal. —El padre de Logan llevaba una camisa de vestir y unos pantalones de pinza, en lugar de una camisa de franela y tejanos, que era su atuendo habitual—. Lori y yo vamos a una cena de la junta de la feria, pero Logan y Lily están dentro. —Le aguantó la puerta para que pasara.

—Gracias.

Opal rezó para que sus amigos permanecieran escondidos.

—Están en la cocina. Adelante, pasa. —Se volvió hacia la escalera y dijo, mirando al piso de arriba—: ¿Cariño? ¡Nos tenemos que ir!

—Ya casi estoy —respondió la señora Nantes.

Logan y su hermana pequeña cenaban mientras veían algo en una tableta que se encontraba en medio de los dos.

—Eh, Opal —la saludó Lily alegremente.

—Hola, Lily. —Opal vio que Logan cerraba los ojos por un instante antes de volverse hacia ella.

—¿Qué quieres? —le espetó.

—¡Logan! —Lily parecía horrorizada—. Qué maleducado.

Oyeron pasos en la escalera. Al poco, la madre de Logan asomó la cabeza en la habitación.

—Me alegro de verte, Opal —dijo con tono afectuoso—. Estaremos fuera un par de horas, chicos. Terminad los deberes.

Logan esperó a que sus padres salieran de casa.

—¿Qué quieres? —repitió.

—¿Puedo hablar contigo en privado?

—¡Oh! —Lily sonrió de oreja a oreja como si fuera testigo de algo importante—. Os dejo solos. —Salió de la habitación, no sin antes volverse hacia Opal y hacerle un guiño.

—Tenemos un problema —dijo Opal cuando Lily ya no podía oírles.

—Vosotros tenéis un problema.

—No, nosotros. —Opal se sacó el móvil y le mostró el esqueleto, acercando el zum al logo de la Nantes Timber Company.

Logan miró la foto con atención y luego se encogió de hombros.

—¿Qué?

—¿Cómo que qué? —Opal entornó los ojos—. Es un esqueleto humano en un hoyo vestido con el uniforme de la Nantes. ¿No te pica la curiosidad?

Logan al fin la miró. Tenía una mirada sombría, atormentada.

Opal por poco grita.

—Logan, ¿te encuentras bien?

—No, Opal. —Le temblaba la voz—. Primero me engulle un pozo y acabo en un lago helado, y después va y un monstruo de videojuego trata de matarme. Aunque eso es imposible. O sea que ahora mismo no me encuentro muy bien. Estoy paranoico.

Opal respiró hondo.

—Logan, la charca es real. Esa criatura era... algo que ya conocemos. Más o menos. Debería habértelo explicado.

Algo pesado se movió en el fondo de los ojos de Logan.

—¿Explicarme el qué?

—Lo de las ilusiones. Lo de Otromundo.

—¿El qué? —Logan se impulsó hacia atrás sentado en la silla y se levantó—. ¿Le habéis puesto nombre a esa... esa oscuridad? ¿Se puede saber qué estáis haciendo en esa isla?

Opal se mordió el labio. Debía ser sincera con él.

—Logan, no te estás volviendo loco. Si me ayudas ahora, te prometo que te lo contaré todo. Se acabaron los secretos.

Logan la observó durante un largo momento.

Opal le aguantó la mirada, temiendo que pudiera cometer un terrible error.

«No he tenido elección».

—De acuerdo —dijo él al final—. Trato hecho.

Las oficinas centrales de la Nantes Timber Company daban miedo por la noche. Opal no era la única que lo creía. Tyler y Emma andaban pegados uno al otro. Nico comprobaba todas las sombras.

—Es como si estuviéramos en territorio enemigo —murmuró.

—Es que lo estáis —replicó Logan.

Nico no respondió. Opal rezó para que los dos supieran mantener las formas el tiempo suficiente a fin de completar la misión. No había comentado a los demás el trato que había hecho con Logan, y las mariposas revoloteaban en su estómago. «Lo entenderán, ¿no? ¡No tenía elección!».

Opal intentó no angustiarse con eso. Había hecho lo correcto. No podía cruzarse de brazos y ver cómo Logan perdía la cabeza solo para guardar un secreto. Habría sido demasiado cruel. Les gustara o no, ahora él formaba parte de eso.

—Identificamos a ese tipo y nos largamos de aquí antes de que alguien nos vea —dijo Logan.

Caminaba delante de ellos por un pasillo enmoquetado. Las oficinas estaban cerca del límite de Timbers, en el lado oeste de Otter Creek, donde la mayor parte del terreno pertenecía a la empresa maderera. Ese era territorio de Logan, y todos lo sabían.

—¿Adónde vamos? —preguntó Tyler.

—Es aquí. —Logan se detuvo ante una puerta con un letrero donde ponía «Recursos humanos».

—¿Recursos... humanos? —preguntó Emma, aguantándose la risa.

—Se refiere al personal. —Logan puso los ojos en blanco—. La gente que supervisa los contratos y ese tipo de cosas. Es donde se guardan los archivos.

La sala no tenía nada de especial, con unos muebles insulsos y unos fluorescentes deslumbrantes. Opal vio una hilera de archivadores metálicos junto a una fotocopiadora gigante.

—Creemos que el esqueleto no lleva mucho tiempo allí —comentó Emma— porque la chaqueta se ve clásica, pero no superantigua, ¿sabes? —Se apartó el flequillo de la cara—. Quiero decir que mi madre la podría haber llevado, pero no Marilyn Monroe.

—Esto. —Logan dejó un álbum encima de la mesa y lo abrió—. Cada año organizan una cena por Navidad. Para la foto de grupo los trabajadores llevan las chaquetas puestas.

—Excepto tu padre. —Tyler señaló una foto de cinco años atrás. Sylvain Nantes llevaba un disfraz de Papá Noel de un rojo chillón.

A Logan se le pusieron las orejas rojas.

—Eso fue solo un año. El chico que lo hacía se puso enfermo.

En las fotos más antiguas aparecían centenares de personas.

—¿Tu padre invitaba a todo el mundo que trabajaba aquí? —preguntó Opal.

—Todavía lo hace —respondió Logan con orgullo—. Es una tradición. Mi abuelo también lo hacía así.

—A mi madre le encantaba la comida —añadió Tyler. Los demás se volvieron hacia él—. ¿Qué? Trabajó aquí una temporada antes de que naciera mi hermana.

Emma dio unos golpecitos en una de las fotos.

—Parecer ser que todo el mundo trabajó aquí. Antes de los despidos.

En la sala se hizo el silencio. Opal habría jurado que escuchó una lechuza ulular a lo lejos.

—A todo el mundo le encanta el banquete —afirmó Logan con un tono áspero mientras pasaba las páginas del álbum—. No se lo pierde nadie, a no ser que estén en su lecho de muerte o algo así.

—¡Espera! —Emma puso el dedo en una página—. Estas chaquetas son como la que buscamos, y en el pie se nombran a todas las personas que aparecen en la foto. ¡Esto sí podría ser una ayuda!

A Logan se le hinchó una vena del cuello.

—¿Cómo sé que el esqueleto es real?

—Porque te hemos enseñado cinco fotos de él. —Emma agitó el móvil.

—Podríais haber creado un adorno para Halloween. —Su voz estaba llena de sospecha—. Me la podríais estar jugando ahora mismo.

Obedeciendo a un instinto, Opal lo cogió de la mano.

—Te tiemblan los dedos —dijo Logan, sorprendido. No la rechazó.

—Porque estoy asustada, Logan. —Lo soltó y miró a los demás—. Todos lo estamos. Esto no es un juego.

Emma asintió con la cabeza. Tyler bajó la barbilla para confirmarlo. Incluso Nico murmuró:

—Es cierto.

Logan apretó los labios. Dirigió la vista a un punto situado más allá de Opal, como si tuviera un debate interno. Entonces soltó el aire poco a poco, relajando los hombros en cierta medida.

—De acuerdo. ¿Qué debemos hacer ahora?

—Vamos a echar un vistazo a esta gente con chaqueta —sugirió Emma—. Tal vez falte alguien.

—Vale. Pero solo Opal y yo tocaremos los archivos. Todo tiene que quedar exactamente como estaba.

—A mí me parece bien —bromeó Nico—. No me gustaría dejar mis huellas dactilares.

—Aquí tus huellas están por todas partes —le espetó Logan—. Las tuyas y las de tu padre.

Nico bajó la cabeza. Emma le puso la mano en el brazo.

—Vamos allá —murmuró Tyler entre dientes.

Opal quedó maravillada del departamento de recursos humanos al ver los excelentes historiales que conservaban. Cada archivo contenía una foto adjunta. Logan y Opal habían revisado unos veinte aproximadamente cuando hallaron una carpeta que contenía, además, un sobre sin cerrar.

—¿Puedo abrirlo? —preguntó.

Él asintió con la cabeza a regañadientes. En el interior había dos nóminas y una nota:

Efecto personal no reclamado depositado en la sección 318-B del almacén de la empresa.

—¿Tu padre deja que los empleados guarden objetos personales? —preguntó Tyler.

—A veces, sí.

Opal examinó el archivo.

—¡Eh, escuchad! Este tipo, ¿sabéis?, se llamaba Roman Hale. —Señaló una nota que había en la primera página—. ¡Agarraos! Hace quince años se le cayó un árbol encima mientras trabajaba. Se negó a recibir tratamiento médico y le hicieron firmar una renuncia.

Tyler chasqueó los dedos.

—Nuestro esqueleto tiene la clavícula rota.

—No consta la dirección —murmuró Opal—. Solo un apartado de correos. Tampoco hay ningún contacto en caso de emergencia.

—Tal vez no tenía familia —aventuró Tyler—. Murió solo, a las afueras de la ciudad, y nadie lo buscó con suficiente empeño para encontrarlo.

—Dejó de acudir al trabajo. —Opal todavía leía—. Lo despidieron al cabo de dos semanas.

—No me extraña. Nuestro esqueleto está hecho polvo —comentó Tyler.

Emma le dio un puñetazo en el hombro.

—Eh, no faltes al respeto.

Tyler hizo una mueca.

Emma deslizó con el dedo la fotografía hacia el centro de la mesa.

Un rostro curtido. Unos ojos azules muy vivos. El pelo oscuro. Una sonrisa bonita.

De pronto Opal se sintió inmensamente triste.

—Roman Hale —susurró—. ¿Qué te ocurrió?

23

NICO

Logan se puso derecho.

—Muy bien. —Se volvió hacia los demás, arremangándose—. Yo ya he cumplido con mi parte del trato, y hemos deducido de quién era el esqueleto. Ahora quiero pruebas.

Nico se cruzó de brazos.

—¿Pruebas de qué?

Opal carraspeó y atrajo todas las miradas.

—Le prometí a Logan que, si nos ayudaba, le contaríamos todo lo que sabemos sobre las ilusiones. —A continuación añadió deprisa—: Y sobre Otromundo.

—¿Que has hecho qué? —Nico negó la cabeza con incredulidad. Tyler cerró los ojos y Emma se tapó la boca.

Opal habló con voz baja y segura:

—Era la única forma de convencerlo para que nos ayudara. Además, a Logan lo atacó una ilusión. No estaría bien no contárselo. Sería cruel. —Encontró la mirada de

Nico y la aguantó—. Pensaba que se estaba volviendo loco. ¿Os imagináis lo que sería cruzar Otromundo y no saber lo que ha ocurrido?

Nico puso cara de resignación.

—Tienes razón. Lo hecho, hecho está.

—Gracias por tu aprobación —dijo Logan con sarcasmo—. Ahora explicádmelo. ¿Qué es esa vorágine? No me diréis que saltáis ahí dentro para divertiros.

Emma hizo una mueca; luego se llevó el puño a la boca y tosió. Opal miró al techo, mientras que Tyler se puso a silbar de forma poco melodiosa. Nico tuvo la delicadeza de ruborizarse.

Logan sacudió la cabeza.

—Increíble.

—Es que es increíble —dijo Emma—. Al principio era divertido. Creábamos cosas asombrosas. Después... Bueno..., dejó de ser divertido. Ahora no sabemos qué pensar.

Logan levantó la mano.

—Empieza desde el principio.

Opal obedeció. Paso a paso, explicó a Logan lo que habían descubierto en Still Cove. La cueva. La isla. La casa flotante. El remolino en un sótano que no debería existir. Logan ya sabía lo del túnel, y había corrido como una liebre para huir del ogro robot, pero la verdad sobre las ilusiones lo dejó sin habla. Cuando Opal terminó de contárselo, se desplomó en una silla plegable con la mirada perdida.

Lo cierto es que a Nico le dio un poco de lástima.

—Es demasiado para asimilarlo todo de golpe.

De repente Logan alzó la cabeza.

—Lo quiero ver.

Nico frunció el ceño.

—Ya lo has visto. Volg-Mordan por poco nos hace papilla.

—No me refiero a las ilusiones. Quiero volver a ver Otromundo.

Opal se violentó.

—Quedamos en que no haríamos más pruebas hasta que supiéramos cómo funciona realmente.

—Yo no quiero entrar ahí. —Logan estaba temblando—. Hacer eso es de chiflados. Solo... solo necesito verlo una vez más. Para demostrarme a mí mismo que es real. —Se le quebraba un poco la voz—. Por favor. Es importante.

Nico miró a Opal, que asintió con la cabeza, y lo mismo hicieron Tyler y Emma.

—De acuerdo, Logan. —Nico se cogió las manos—. Lo que es justo es justo. Iremos esta noche.

—¿Qué ocurre? —susurró Opal.

Estaban en lo alto de la colina, no muy lejos de donde se habían topado con el rinoceronte. Habían tenido que regresar a casa y, cuando todos lograron escabullirse de nuevo, ya habían transcurrido unas horas. En la ensenada hacía un frío glacial, y solo contaban con la luz de la luna y de los móviles. Nico confiaba en encontrar la isla vacía. Se había equivocado.

Abajo, junto al estanque, el lugar estaba iluminado como si hubiera un baile.

—¿Cuántas hay? —Tyler observaba con atención las luces titilantes—. Solamente en la orilla veo seis ilusiones. Parecen trols con antorchas en la mano.

—Tres soldados de asalto han huido al bosque. —Emma señaló el bosque sombrío—. Son unos árboles grandiosos con sables de luz. Y hay una especie de mancha brillante en el arroyo.

—Oh, vaya. —Tyler se dio con el puño en el mentón—. Al lado del camino de piedras... ¿eso no es un oso de goma que brilla en la oscuridad? ¿Y que salta de un lado a otro, según le parece?

Logan miró a Opal con incredulidad.

—¿Esas cosas andan sueltas por ahí y vosotros os quedáis tan anchos?

—Hasta ahora solo aparecían cuando alguien entraba en el pozo. —Emma lanzó una mirada de preocupación a Nico—. Tenemos un problema muy serio.

Nico se pasó la mano por el pelo.

—Emma tiene razón. Ahora aparecen solas. ¿Cómo podremos ni siquiera bajar?

Logan se puso derecho.

—No nos iremos. Igualmente quiero ver Otromundo.

Nico se mordió la mejilla por dentro, pensativo.

—Si damos la vuelta por detrás de la casa flotante, creo que no encontraremos a nadie. Con un poco de suerte, el oso de goma se habrá ido cuando lleguemos al camino de piedras.

Volg-Mordan había roto la primera piedra, pero esta se había partido por la mitad y un trozo de un tamaño aceptable aún sobresalía de la superficie del agua.

—Deberíamos darnos prisa. —Tyler empezó a bajar por la cuesta—. Tengo la sensación de que soy una hamburguesa con queso y que de un momento a otro alguien vendrá a hincarme el diente.

Avanzaron con cautela, y en una ocasión se escondieron para esquivar un grupo de zombis que arrastraban los pies. Tardaron diez minutos largos en alcanzar el otro lado del estanque. Pasaron a toda velocidad por las piedras y Nico cerró la puerta principal tras ellos; luego se dejó caer al suelo, aliviado.

—Por si alguien creía que las criaturas imaginarias molarían en la vida real —dijo jadeando—. Pues va a ser que no.

Logan le tendió la mano para ayudarlo a levantarse. Nico se la quedó mirando un momento y luego la cogió.

—La charca —dijo Logan.

Nico asintió con la cabeza.

—Vamos.

Condujo a los demás entre las cortinas, a través de la sala de exposiciones, más allá de la cosa del tarro —¿eran orificios nasales eso de su cabeza?— y al interior de la escalera de caracol secreta. En el momento en que puso el pie en los escalones, Nico supo que algo había cambiado.

Unas luces inquietantes jugueteaban en las paredes y unos colores pálidos destellaban en ráfagas discordantes. Abajo de todo Nico vio Otromundo, y se quedó boquiabierto. El agua giraba y se arremolinaba a una velocidad vertiginosa, elevándose en el aire sin que una sola gota tocara el suelo.

—Se ha vuelto loco —susurró Opal detrás de él.

—Como una lavadora con esteroides —comentó Tyler.

Emma negó con la cabeza despacio.

—Ni siquiera yo me voy a meter en eso.

Logan se aproximó, con los ojos abiertos como platos.

—Es real. No lo puedo creer. Casi me había convencido a mí mismo de que era un sueño. —Empezó a extender la mano, pero luego encogió los dedos.

Nico se frotó la frente.

—Está revolucionado, está claro, pero ¿qué podemos hacer para frenarlo?

Opal levantó el mentón.

—Seguiremos investigando. Ahora cada minuto cuenta. Hace dos días, esta isla estaba bajo control. En este momento, es una convención de monstruos. ¿Quién sabe lo que será mañana?

Algo retumbó en el piso de arriba. Todas las miradas se volvieron hacia la escalera.

Unos pasos pesados cruzaron el suelo por encima de ellos.

Tyler fue corriendo hacia Nico y le susurró al oído:

—Hay algo dentro de la casa.

—Lo sé —le respondió Nico, también en voz baja. Como nadie más se movió, levantó las manos—. De acuerdo. Quedaos aquí.

Pero al dirigirse a la escalera, Logan le puso una mano en el hombro.

—Voy contigo —le dijo.

Nico, agradecido, asintió con la cabeza.

—Solo que prepárate para bajar corriendo otra vez.

Subieron los escalones sigilosamente. Hubo otro ruido fuerte, seguido de un gruñido peculiar. A Nico le empezaron a sudar las palmas de las manos. Deslizó con cuidado el panel de la pared y asomó la cabeza.

Nico se quedó helado. Su corazón dejó de latir.

A menos de diez pasos de donde estaba escondido, tres orcos se peleaban por la espada pirata.

—¿Qué ves? —murmuró Logan—. ¿Hay algo?

Nico le indicó con una mano que se callara. Pero cuando volvió a asomar la cabeza al interior de la sala, el orco que estaba en medio lo miraba fijamente.

—Oh, no —dijo Nico entre dientes.

El orco rugió. Dejó la espada y le señaló.

—¡Atrás! —gritó Nico, cerrando el panel de golpe. Buscando desesperadamente, encontró un cerrojo de seguridad en la cara interior de la pared. Nico lo deslizó y soltó un gemido de alivio. Luego empujó a Logan para que bajara. Se empezaron a escuchar puñetazos en el otro lado de la puerta, pero el cerrojo resistía.

Nico saltó los últimos escalones que faltaban hasta el suelo de tablas.

—¡Tenemos problemas! Arriba hay unos orcos terroríficos y saben que estamos aquí. —Los golpetazos de arriba dieron más fuerza a su advertencia.

—¿Qué hacemos? —chilló Tyler—. ¡No hay otra salida!

Nico tragó saliva.

—Sí hay otra salida. —Miró al pozo, que no dejaba de borbotear y de girar.

A Opal casi se le salieron los ojos de las órbitas.

—¿Bromeas?

—¿¡Qué otra opción tenemos!?

Se oyó cómo se astillaba la madera del panel. Se les acababa el tiempo.

—De acuerdo —accedió Emma con voz temblorosa—. Esto no es nuevo. Yo seré la primera. —Se volvió hacia el remolino, y se puso pálida—. Es mejor no pensárselo mucho. —Y, con un grito de terror, Emma se zambulló en la charca.

Otromundo se quedó inmóvil, palpitó una vez y a continuación se contrajo brutalmente.

Nico tardó unos segundos en volver a ver con claridad.

—¿A quién le toca? —gritó.

Tyler soltó un gruñido profundo.

—¡Eso no ha sido nada, chavales! —Y, cerrando los ojos con fuerza, se arrojó a las aguas embravecidas.

Nico notó una breve sacudida. Tyler ya no estaba. Nico se fijó en la mirada desencajada de Logan. «No está preparado para esto». Si a Logan le daba un ataque de pánico, ¿qué ocurriría? ¿Qué es lo que leería Otromundo?

—Opal, te toca.

Algo chasqueó más arriba. Un rugido espeluznante retronó en la sala.

—Ya no queda tiempo. —Nico sintió de pronto una calma extraña—. Opal, adelante.

Opal miró primero a un chico y luego al otro.

—¡A vosotros dos os quiero ver detrás de mí! —Se zambulló en el agua y desapareció. El pozo se estremeció y, acto seguido, empezó a girar como un tornado.

Logan miraba Otromundo horrorizado. De pronto fijó la vista en Nico.

—Tú primero. Yo... yo seré el último —dijo, y Nico vio que le temblaban las manos.

—Claro. —Nico puso una mano sobre el hombro de Logan. Notó que tenía los músculos tensos—. Pero procura no chocar con la tubería que hay abajo.

Logan lo miró con cara de loco.

—¿Una tubería?

Unos pasos pesados resonaron en la escalera.

—Sí, esa. —Nico señaló al interior del remolino.

Logan se inclinó hacia delante para ver.

Nico lo empujó con el dorso de ambas manos y observó cómo Logan se hundía chillando en las negras profundidades.

Un gruñido mortífero. Un aliento caliente de orco en la nuca de Nico.

Nico se tiró justo después de Logan con un gemido de absoluto terror.

—¡Chist, aquí!

Nico abrió los ojos de repente. Sacudió la cabeza, que tenía empapada.

Había atravesado Otromundo. Todos lo habían hecho. Lo que significaba que debían de estar fuera, en el estanque. Trató de recordar cómo había sido el viaje, y comprobó que era incapaz. Allá donde debían estar los recuerdos había solo... distorsiones e interferencias.

Opal tendió la mano a Nico y tiró de su camisa.

—Vamos —murmuró—. Esto no es seguro. —Lo hizo correr hacia la entrada del túnel.

Al pie de la colina, Nico vio a Emma, a Tyler y a un Logan Nantes que echaba chispas.

—Ya hablaremos de ese empujón —le dijo Logan con voz sombría y el pelo empapado.

—Como quieras. —Nico sintió un alivio inmenso al verlos a todos con vida—. Huyamos de esta isla.

Corrieron sigilosos hacia la entrada del túnel y por el camino no se toparon con ninguna ilusión. Nico estaba a punto de relajarse cuando Opal soltó un grito ahogado y se llevó una mano a la boca.

Se le acercó.

—Opal, ¿qué sucede?

Ella no respondió, se limitó a señalar el barro que había frente al túnel.

Unas huellas gigantescas se adentraban en él.

Y no salían.

24

OPAL

«Más deprisa. Más deprisa».

Opal y Nico remaban a través de las aguas turbias.

Opal debía huir. De las ilusiones, de la casa flotante, de Otromundo, de todo.

Habían abandonado la boca del túnel y habían decidido escabullirse a través de la isla. Por nada del mundo ella iba a entrar en el pasadizo. No con esas huellas que desaparecían en su interior. La idea de toparse con una ilusión en las tinieblas que había por debajo de la ensenada era demasiado horrible.

El remo de Opal golpeó contra algo y un objeto metálico retorcido emergió en la superficie. Al principio temió que le hubiera dado a alguna nueva criatura de Otromundo, pero entonces lo reconoció.

—Nico. Tu dron.

Emma chasqueó la lengua. Logan puso cara de desolado.

—Creo que lo puedo coger. —Opal alargó el remo hacia el cuadricóptero destrozado.

—Déjalo —dijo Nico entre dientes—. Está roto. Preocúpate por lo que lo ha hecho subir a la superficie.

—¿Crees... crees que podría ser la Bestia? —aventuró Tyler con voz trémula.

Oyeron un chapoteo detrás de ellos.

«Solo es un pez», se dijo Opal a sí misma. «Un pez saltarín enorme. Solo eso».

—Estáis muy preocupados por la Bestia —murmuró Emma—. Y Otromundo lee mentes.

—Oh, no. —Tyler se dejó caer al fondo del bote—. Por favor, cualquier cosa menos eso.

—Relájate —dijo Opal, intentando hablar con convicción—. Hemos dejado la isla atrás. Las ilusiones que hayamos podido crear tendrán que disfrutar de su vida sin nosotros.

—Pero ha quedado algo —rebatió Tyler con voz temblorosa—. Ya has visto las huellas.

—Seguro que no irá muy lejos. —Opal empezó a remar de nuevo, reprimiendo un escalofrío—. Apuesto a que ha andado un poco por el túnel y luego se ha quedado atascado. Tal vez...

El bote dio una sacudida. Opal por poco pierde el remo, que cogió justo antes de que se precipitara al agua. Habían chocado con un velero viejo cubierto de algas y que flotaba boca arriba como un pez hinchado. Opal a duras penas podía leer el nombre que había pintado en un lado del casco: *Remanso de Roman.*

—Roman —dijo Emma con un hilo de voz—. Este era su nombre de pila. El hombre que murió.

Aparecieron escombros flotando a su alrededor. Redes enmarañadas, un farol oxidado, trozos de metal y madera, un hueso reluciente. No había duda de que era un hueso humano.

—¡Más deprisa! —exclamó Opal.

Nico no necesitaba que le diera ánimos. Juntos remaron con todas sus fuerzas en dirección a la cueva.

Con los dedos temblorosos, Opal ayudó a Nico a amarrar el bote. El grupo empezó a trepar por las rocas a toda prisa, ansiosos por alejarse del agua. Una vez que hubieron llegado al saliente, observaron la boca de la cueva, preparados para echar a correr ante el más leve sonido.

—¿Crees que lo habrá recorrido todo? —preguntó Logan en voz baja.

—No nos quedaremos aquí para saberlo —musitó Emma.

Con la linterna del móvil, Nico señaló el camino.

—Vamos a buscar las bicis. Id con cuidado, pues subiremos a oscuras. Mejor que no se caiga nadie, creedme.

Logan no se movió.

—Entonces, ¿qué?

—No lo sé. —Opal miraba la cueva silenciosa y hostil—. Pero no quiero quedarme sentada aquí pensándolo.

—Yo tampoco. —Emma ya había enfilado la pendiente, con Tyler y Logan detrás. Opal se disponía a seguirlos cuando oyó una salpicadura enorme procedente de debajo del saliente. Madera que crujía y se astillaba.

—El bote —dijo Nico entre dientes—. ¡Algo lo está destrozando!

—¡Vámonos! —susurró Opal—. ¡Ahora!

El grupo corrió cuesta arriba, sin atreverse a mirar atrás. Opal cogió su bici y encendió la luz. ¿Podrían escapar pedaleando de lo que fuera que los perseguía? Tomó la delantera y empezó a pedalear con rabia. No había recorrido ni veinte metros cuando descubrió unas marcas profundas en la hierba.

La tierra estaba levantada. Los arbustos, destrozados. Las ramas, rotas. Opal siguió un rastro de destrucción que iba directamente a Timbers.

Pensó en las huellas del barro.

«Algo ha abandonado la isla antes que nosotros».

¿Dónde estaba ahora?

Los neumáticos de su bici patinaron. Cayó de lado, sobre el codo y la rodilla. Apretó los dientes mientras los demás se detenían de golpe. Emma desmontó de la bicicleta y se agachó junto a ella.

—¿Estás bien?

—Eso creo.

Opal estaba aturdida y bien despierta al mismo tiempo. Le dolía todo el cuerpo y se había mojado con lo que fuera que hubiera en el suelo.

Nico, Logan y Tyler acercaron sus bicis.

—¿Qué es esto? —preguntó Logan.

—¿El qué? —Opal encendió la linterna del móvil.

El suelo estaba cubierto por un lodo plateado. Opal estaba llena de él.

—Cuidado. —Opal vio cómo la sangre que le salía de la rodilla se mezclaba con esa sustancia plateada—. Que nadie me toque hasta que sepamos a qué nos enfrentamos.

—Pero estás herida. —Los dedos de Emma se doblaron en vano—. Tienes barro por todas partes.

Opal se levantó con esfuerzo.

—Estoy bien. Puedo ir en bici. —Notó que le goteaba sangre del codo. Supo que era sangre porque le produjo una sensación agradable y cálida. ¿Acaso no era extraño que tuviera esa sensación placentera? «¿Y si me he dado un golpe en la cabeza?».

—Yo iré primero —decidió Nico.

Los demás rodearon a Opal para que pedaleara en medio de ellos. Su bici crujía y chirriaba. Sobre la hierba caían gotas de ese barro mezclado con su sangre.

—Ya casi hemos llegado —avisó Logan desde detrás de ella.

—Al fin —añadió Tyler.

Coronaron la última colina, desde donde se veía la calle principal. Opal miró a la izquierda, hacia Overlook Row. Podría irse a casa, acurrucarse en la cama y simular que nada de esto había ocurrido.

Sin embargo, a la luz de las farolas del centro del pueblo, Opal vio que se reunían unas figuras extrañas.

Una gruñó y se puso a cuatro patas.

Otra bufó de una forma siniestra; fue un sonido sibilante, de búsqueda.

Opal notó el olor de algo podrido. Sintió un hormigueo en la piel por la electricidad estática.

La sombra más grande alzó un brazo enorme y peludo. Sus dientes, de un blanco amarillento, brillaron a la luz de la luna mientras agarraba una pancarta de la feria del rábano y la despedazaba. La tela se arrugó como una hoja en otoño.

Opal aceptó la espantosa verdad.

Las ilusiones habían invadido Timbers.

CUARTA PARTE

OTROMUNDO

25

NICO

—Nos hemos metido en un buen lío —dijo Nico sin aliento.

Las ilusiones se habían reunido en el corazón de Timbers, que ahora dormía. Nico no tenía ni idea de lo que podría ocurrir si alguien salía a pasear por la noche. No había forma de explicar eso.

De un solo vistazo, Nico descubrió a un hombre lobo, un Sasquatch, un Power Ranger, una especie de hombre serpiente que rezumaba un líquido plateado y una delicada hada que flotaba. ¿Cómo podían haber huido de la isla? «¿Cómo se supone que podemos detenerlos?».

Nico y los demás estaban junto a sus bicis en lo alto de la colina desde donde se dominaba la localidad. Tyler se llevó la palma de la mano a la frente.

—Entendido, está claro que esto se nos ha ido de las manos. Vamos a avisar al *sheriff* Ritchie.

—¿Para decirle qué? —replicó Nico—. ¿Que unos seres imaginarios están invadiendo la plaza mayor?

—Nico, ¿qué otra cosa podemos hacer? —Tyler señaló con exasperación—. Menudo motín de monstruos hay en la calle principal.

—El despacho del *sheriff* está dos pueblos más allá. —Emma se abrazó a sí misma con fuerza—. Es probable que estas criaturas hayan desaparecido antes de que lleguen los ayudantes del *sheriff*, y entonces pagaremos muy cara nuestra jugarreta.

—¿Jugarreta? —Logan dejó caer la bicicleta al suelo—. ¡Esas cosas están destrozando el parque!

Era cierto. El Sasquatch fue hasta un banco, lo puso del revés con una patada y luego olisqueó la parte inferior. El hombre serpiente se había deslizado al interior de la fuente, dejando un reguero plateado por las piedras. El hombre lobo ladeó la cabeza y emitió un aullido desgarrador que provocó los ladridos de unos perros a unas cuantas manzanas de allí.

A Nico se le aceleró el corazón. Siempre le habían dado miedo los hombres lobo, pero ¿podía ser que ese hubiese salido de su mente? ¿O que otra persona lo hubiera creado? En ese caso, ¿cómo?

—¿Las hemos hecho nosotros? —preguntó Emma en voz baja—. ¿Cuando hemos entrado todos juntos?

—Tal vez. —Opal dejó la bicicleta en el suelo—. Eso da igual. Tenemos que atraerlos y luego deshacernos de ellos como sea. No podemos dejar que alguien vea esto, porque si no estamos perdidos.

—Atraerlos. —Tyler miraba fijamente a Opal y hablaba sin entonación—. O sea, llamar su atención con la esperanza de que nos persigan.

—¡Se están cargando la decoración de la fiesta! Se supone que empieza mañana.

Nico observó el caso con una fascinación enfermiza. El Power Ranger daba unas patadas laterales de forma metódica a un puntal del escenario, y toda la estructura se desplomó. El hada revoloteaba en círculo arremetiendo a golpes de varita contra la estatua del fundador de Timbers, Edward Nantes.

Opal parecía que estaba a punto de explotar.

—Esto es culpa nuestra. Debemos solucionarlo.

Nico se rascó la mejilla, estrujándose los sesos.

—Voy a ir con la bici hasta el grupo de ilusiones y luego regresaré a las colinas. Quizá me sigan.

Logan se rio.

—Te pueden seguir una o dos, ¿pero todas? Tenemos que hacer algo más grande.

A Emma se le iluminó la cara.

—En la fiesta habrá fuegos artificiales, ¿no?

Logan asintió con la cabeza.

—Gentileza de la Nantes Timber Company.

—Entonces ya deben de estar preparados. —Emma aferró el brazo de Nico—. Un par de nosotros, montados en las bicis, podríamos atraer la atención de las ilusiones. Luego otro podría hacer estallar los cohetes aquí arriba para que se asustaran y huyeran del pueblo.

—¡Yo sé dónde están los fuegos artificiales! —Opal señaló el escenario. Cerca de este, el hada estaba suspendida en el aire y reía con disimulo mientras el Power Ranger seguía aporreando los puntales—. Están en un contenedor, detrás del escenario. ¡Escuché que el señor Murphy se lo decía el otro día a mi madre!

—Estará cerrado —apuntó Nico—. No van a dejar los fuegos artificiales a la vista en un lugar al alcance de todo el mundo.

—Puede que no lo esté —rebatió Opal con esperanza—. Esto es Timbers.

—Genial. —Tyler bajó la cabeza, resignado—. Así pues, necesitamos una distracción para hacernos con la distracción.

—Tengo una idea. —Logan miró a Nico—. ¿De cuánto tiempo disponemos?

Nico se encogió de hombros en un gesto de impotencia.

—Hasta que alguien se despierte y descubra una pandilla de monstruos que está destruyendo el centro del pueblo. ¿Por qué?

Logan no le hizo caso y se volvió hacia Opal.

—Necesito tu ayuda. Vamos.

Nico temblaba ante todo el estrépito provocado por las ilusiones. Él, Tyler y Emma se encontraban en un callejón, a unos veinte metros del centro. Las criaturas aún estaban entretenidas rompiendo cosas y derribando letreros de rábanos de las farolas o, en el caso del Sasquatch, derribando las farolas en sí. Nico temía que el ruido llegara a las calles con viviendas que había a unas cuantas manzanas de allí.

—Están chalados —susurró Tyler—. ¡Míralos!

El Power Ranger y el hombre serpiente habían empezado a forcejear en la fuente. En ese momento el hada usaba la varita para partir las cosas por la mitad, como una boca de incendios, que la había dejado empapada por sorpresa.

—¿Por qué están tardando tanto? —refunfuñó Nico por tercera vez.

Tyler levantó las manos al cielo.

—No puedo creer que no pueda filmar esto —murmuró Emma, que caminaba en círculos nerviosa—. Hollywood no tiene nada que ver con Otromundo. Me convertiría en una experta en efectos especiales famosa en todo el mundo.

—Hasta que tuvieras que explicar cómo funcionan —dijo Tyler.

Nico oyó el ronroneo de un motor. Al dar media vuelta, vio dos pares de luces que se aproximaban despacio. Logan salió del primer buggy.

—Muy bien, estamos listos —avisó.

—Habéis tardado mucho —se quejó Nico, pero en voz baja, como si hablara consigo mismo.

¿Estaba celoso de que Opal condujera el otro buggy? Tal vez un poco.

—¿Todo el mundo tiene claro el plan? —preguntó Logan.

Aunque los faros los deslumbraban y no veían bien, a Nico le pareció oír cierta alegría en la voz de Logan. «Está ilusionado con todo esto».

Logan alzó una cizalla.

—He traído esto, por si acaso.

—Buena idea —dijo Nico. Emma y él cogieron las bicis.

Tyler montó en el segundo buggy detrás de Opal—. Me gusta la conducción tranquila y suave —murmuró—. Recuerda que las tortugas ganan todas las carreras.

Opal extendió la mano hacia él y le dio un golpecito en la pierna.

—Eso de ahí fuera no son liebres, Ty.

—No os retraséis —advirtió Nico con voz firme.

—No vayáis despacio. —Logan se bajó la visera.

Nico no se molestó en responder. Lanzó el puño hacia Emma, y ella lo chocó con el suyo.

—¿Estás segura de que quieres hacer esto? —preguntó Nico.

Emma lo sorprendió con una risotada.

—Pues... sí. ¿Cuándo volveré a ser un cebo para monstruos?

Nico se rio por lo bajo.

—Es una manera de verlo.

Empezaron a pedalear y doblaron la esquina; luego, en silencio, se dirigieron a toda velocidad hacia la plaza mayor.

El Sasquatch fue quien los vio primero. Estaba sentado en la acera, aporreando un buzón para convertirlo en un crep metálico, cuando Nico pasó por su lado.

—Eh, Harry. ¿Qué tiempo hace?

El Sasquatch rugió y se levantó, y avanzó pesadamente detrás de ellos. Nico y Emma cogieron velocidad y saltaron a la acera que bordeaba la plaza. Emma le mandó un beso al hombre serpiente. Este tiró al suelo al Power Ranger y empezó a seguirlos, pero Nico y Emma llegaron a la siguiente esquina y giraron, derechos al escenario.

—¡No pares! —gritó Nico.

Se precipitaron por detrás de la tarima, lo que arrancó un grito del hada y un gruñido del hombre lobo. El hada entornó sus ojos brillantes. Algo pasó zumbando por al lado de la oreja de Nico. Un arbusto que había frente a él quedó carbonizado.

—¡Campanilla nos está disparando! —gritó Emma. Estaba pegada a la rueda trasera de Nico mientras se dirigían como bólidos a la siguiente esquina; volvieron a girar y completaron así la mitad del circuito.

Nico miró atrás. El hombre serpiente y el hombre lobo los perseguían, pero el hada había perdido el interés y seguía prendiendo fuego a otros arbustos. El Power Ranger se lanzó contra ellos para tratar de interceptarlos antes de que pudieran girar de nuevo.

—¡Para! —Nico frenó de golpe. Emma se detuvo en seco a su lado—. No conseguiremos dar la vuelta entera. Espera un segundo.

Nico intentó no dejarse llevar por el pánico a medida que se congregaban las ilusiones. Entonces oyó el estruendo de unos motores; eran los buggies, que circulaban por detrás del escenario con las luces apagadas. Tres sombras sacaron a rastras una caja del contenedor y empezaron a atarla al primer buggy. «Venga, venga, venga, venga».

—Nico —dijo Emma con voz trémula—. Creo que es mejor que nos vayamos.

Emma llevaba razón. El Power Ranger avanzaba decidido hacia ellos por la acera, a la vez que el hombre serpiente y el hombre lobo se les aproximaban por la hierba. El hada asesina apareció zumbando desde el otro lado, con su varita diminuta centelleando de forma amenazadora.

—Cambio de planes —espetó Nico—. Pasamos por en medio y huimos a todo gas hacia las colinas.

Los buggies arrancaron. El Power Ranger estaba a menos de diez metros de distancia y seguía acercándose.

—¡Ahora, Emma! —Salieron disparados como el tapón de una botella de vino espumoso y atravesaron el parque a toda velocidad. «Podemos pasar entre el hombre lobo y el hombre serpiente. ¡Lo conseguiremos!».

Emma pedaleaba frenéticamente al lado de Nico. El hombre lobo aulló y dio un salto, y con las zarpas casi rozó el cuello de Nico. Emma se escabulló bajo las fauces del hombre serpiente y de pronto todo quedó atrás. Gruñendo, las ilusiones dieron media vuelta y se lanzaron a perseguirlos.

Nico sonrió con ferocidad. ¡Lo habían logrado! Habían huido y habían llamado la atención de las criaturas. Dejó de pedalear, deleitándose con el sabor de la victoria.

Sin embargo, se había olvidado del Bigfoot.

De pronto el Sasquatch se interpuso en su camino, y las dos bicis dieron un viraje brusco. Emma mantuvo el equilibrio y consiguió pasar, pero Nico tropezó con el bordillo y se cayó.

—¡Nico! —Emma empezó a frenar. Nico rodó y se puso de pie, y le indicó con la mano que siguiera.

—¡Vete! —gritó él—. ¡Lanza los fuegos artificiales!

Emma se puso a pedalear el doble de rápido.

—Lo distraeremos. ¡Aguanta!

Al dar media vuelta, Nico se encontró de frente al Sasquatch, que lo miraba con unos ojos inteligentes. Cogió la bicicleta de Nico y la arrojó a un lado, a la vez que soltaba un estruendoso rugido. A continuación la ilusión pataleó, con la respiración agitada y las manos gigantes dobladas en lo que parecía un gesto de frustración.

A Nico el corazón le dio un vuelco extraño. Aunque era colosal y terrorífica, la criatura poseía una nobleza que su rabia no podía ocultar. El Sasquatch miró atrás, a las otras ilusiones, que estaban cada vez más cerca, y soltó otro gruñido.

«Está confuso. Él no pertenece aquí».

Nico deseó que el Sasquatch no hubiese aparecido en esa calle oscura. «Debería estar deambulando por las colinas, como en las leyendas», pensó. «No debería estar atrapado en un lugar que no comprende».

A Nico le supo mal.

La criatura ladeó la cabeza y, acto seguido, se abalanzó sobre Nico, lo agarró por la sudadera y lo levantó hasta la altura de sus ojos. Nico no podía respirar. Tendió una mano temblorosa y le dio unas palmaditas al Sasquatch en la muñeca.

—Per... perdona, grandullón. Por favor, no... no me mates.

El Bigfoot se esfumó. Nico cayó en la acera como un globo de agua.

Negó con la cabeza, sin poder creer la suerte que había tenido. La ilusión había desaparecido justo antes de que tuviera ocasión de matarlo. ¿O acaso él había hecho algo? En ese caso, Nico no sabía decir qué. Otro aullido rasgó la noche y alejó todos los pensamientos de su mente. Nico corrió a buscar la bici, montó en ella y empezó a pedalear en el momento en que llegaban las otras ilusiones.

En el cielo, más arriba de la colina, explotaron unos destellos rojos y blancos que iluminaron la noche. Las demás ilusiones se detuvieron como paralizadas y a continuación corrieron hacia los fuegos artificiales, olvidándose de Nico, que giraba bruscamente en una calle lateral y pedaleaba a toda velocidad.

Mientras las ventanas se abrían y las puertas se cerraban de golpe, junto con gritos de «¡fuego!» que se extendían por la manzana, Nico dejaba atrás la anarquía de la calle principal.

Ya había hecho suficiente en una sola noche.

26

OPAL

—Estas son las secuelas —dijo Opal en voz baja—. Secuelas por todas partes.

Cogió una bandera que anunciaba la fiesta del rábano. La sonriente planta estaba partida por la mitad. Unos profundos surcos se entrecruzaban en el césped, antes impecable, de la plaza. El escenario estaba hundido por el centro. Unas farolas dobladas y rotas iluminaban el edificio.

La gente del pueblo daba vueltas, aturdida. El señor Murphy estaba de pie junto a la fuente, con la cabeza agachada, supervisando los daños. Kisner, el director, barría montones de trozos de vidrio.

—¿Quién habrá hecho esto? —preguntó la madre de Opal con la voz entrecortada.

Opal no respondió. *Qué* habrá hecho esto, esa era la pregunta en cuestión. Echó un vistazo a las roderas que los buggies habían dejado en el barro, que conducían a las colinas. ¿Podrían llevar hasta Logan?

—Es repugnante —dijo Opal, y lo dijo de verdad. Aunque la fiesta era muy ñoña, la gente había trabajado con ahínco en los preparativos. Y, en un abrir y cerrar de ojos, todo se había ido al traste.

—Unos vándalos —dijo la señora Walsh, mirando con mala cara una señal de *stop* abollada—. Con algún tipo de maquinaria pesada para poder robar los fuegos artificiales. —Miró a Opal—. Dijiste que ayer estuviste con unos amigos después de clase.

—Ajá. —Opal empezó a sudar. ¿Y si su madre descubría que se había escapado?

—¿Quiénes eran? ¿Conozco a sus padres?

—Son unos compañeros de la escuela —se apresuró a responder Opal—. Uno de ellos era Logan.

Por primera vez, ese nombre no hizo sonreír a su madre. La señora Walsh examinó las roderas de las bicicletas en la acera.

—¿Y qué hicisteis?

—Ensayar nuestros talentos. El concurso se hará igualmente, ¿no?

—No lo sé. —A la señora Walsh se le quebró la voz. Entonces miró al señor Murphy. Se acercó al hombre mayor, le puso una mano en el hombro y se inclinó para decirle algo.

—¡Chist! ¡Opal!

Opal miró detrás de ella. Nico, Emma, Tyler y Logan estaban apiñados al lado del escenario destrozado. Emma le hizo una seña para que fuera con ellos.

—Ven.

Opal lanzó una mirada rápida a su madre antes de correr junto a sus amigos.

—¿Qué pasa?

—Mi debut cinematográfico se ha cancelado —anunció Emma con tristeza—. El equipo de proyección está roto, y eso va a costar una fortuna.

—Toda esta destrucción es cara —afirmó Tyler—. Apuesto a que ahora deben cancelar la fiesta. No se van a gastar el dinero en unas banderas con rábanos nuevas cuando se tienen que arreglar las farolas.

—¿Os imagináis que hay monedas de oro dentro de Otromundo? —sugirió Emma—. Eso arreglaría un montón de problemas.

—Hasta que desaparecieran —le recordó Nico—. ¿De qué serviría?

—Tampoco creo que funcionara. —Tyler se metió las manos en los bolsillos—. No han salido objetos inanimados de Otromundo. Incluso ese bocado de pollo andaba de un lado a otro.

—Esta noche las ilusiones eran de lo más animadas. —Opal se encogió de hombros—. Y han durado una eternidad. Ojalá hubiera algún tipo de truco para hacerlas desaparecer.

—Sí, justamente. —Nico arrastró un poco el zapato por la acera—. Es posible que haya hecho algo para hacer desaparecer el Sasquatch.

—¿Qué? —soltaron los demás al unísono. Habría resultado divertido si no reinara el caos a su alrededor.

—Cuando el Bigfoot me cogió, yo... yo le hablé. —Se

encogió de hombros con timidez—. Le dije que estaba arrepentido y le pedí que no me matara.

—O sea que le suplicaste para que te perdonara la vida.

—Logan resopló con desdén—. Es decir, ¿crees que le supo mal por ti y que se evaporó por compasión?

Opal pareció avergonzada, pero Nico supo contenerse.

—No, no exactamente. —Se mordió el labio inferior, se le perdió la mirada—. Noté que algo... cambiaba. Durante un segundo no tuve miedo. Al tenerlo muy cerca, me di cuenta de hasta qué punto el Sasquatch no pertenecía a este lugar.

Nadie dijo nada. El viento azotaba las tiras rasgadas de lona sobre el césped estropeado.

—Entonces, digamos que... ¿les pedimos perdón? —dijo Tyler finalmente—. ¿A las ilusiones?

Con las facciones crispadas, Nico sacudió la cabeza.

—No, no es eso. Pero... no sé.

—Nosotros creamos las ilusiones —señaló Emma—. Tiene sentido que hayas conectado con una.

Logan se cruzó de brazos.

—¿Cómo? ¿Deberíamos decirles a esos monstruos que los queremos?

—Un poco de seriedad, Logan. —Opal juntó las manos, pensativa—. Tal vez fuera la manera en que miraste el Sasquatch, Nico. El modo en que lo viste.

Tyler refunfuñó.

—¿Se supone que tenemos que organizar concursos de miradas?

—No —respondió Opal bruscamente, cada vez más

frustrada—. Lo único que he querido decir es que el hecho de que Nico haya prestado más atención al problema puede ayudarnos a encontrar la solución.

—O no —murmuró Logan.

La lluvia regaba la plaza mayor, pero nadie se movió. El tiempo estaba acorde con su estado de ánimo.

Emma se estremeció.

—El quid de la cuestión es: ¿cómo han escapado? Creía que las ilusiones no podían salir de la isla.

—¿Y de dónde venían todas ellas? —añadió Tyler frunciendo el ceño—. Tal vez esta noche hayamos creado una brigada de monstruos al zambullirnos para huir de esos orcos, pero había multitud de ilusiones en la isla cuando llegamos. Si nosotros no las hemos creado, ¿quién ha sido?

—Puede que Otromundo ya no nos necesite —musitó Emma.

Un chirrido de micrófono resonó por la plaza. Todo el mundo se sobresaltó.

—Soy la alcaldesa Hayt —retronó una voz femenina desde el único altavoz del escenario que no había sufrido desperfectos—. Quiero que todos vosotros y todas vosotras sepáis que estoy haciendo todo lo que está en mi mano para establecer la causa de este acto vandálico. Los autores serán detenidos y se les exigirán responsabilidades. Y nosotros celebraremos nuestra fantástica fiesta del rábano en cuanto sea posible.

Una leve ovación se elevó de la multitud, pero a Opal se le cayó el alma a los pies. Lo último que les faltaba era una investigación oficial ahora que Otromundo estaba desbocado.

—Necesito que colaboréis de dos formas, que son fundamentales —prosiguió la alcaldesa Hayt—. En primer lugar, si disponéis de algún dato acerca de esta atrocidad, por favor, dirigíos a las autoridades. Se ofrece una recompensa muy generosa, cortesía de la Nantes Timber Company.

Hubo unos aplausos discretos. La alcaldesa Hayt hizo una breve pausa.

—Y, en segundo lugar, nuestro equipo de limpieza debe iniciar sus trabajos. Así pues, os pedimos que desalojéis la plaza, y sobre todo cumplid con vuestras obligaciones para poder organizar la fiesta. Esto lo vamos a resolver.

Otro chirrido de micrófono, y la alcaldesa dio por terminada la intervención.

—Nosotros somos los autores de quien habla —lamentó Tyler.

Emma le pegó en el brazo.

—Las ilusiones han hecho esto, no nosotros. Nosotros detuvimos la destrucción.

—Si esto te ayuda a dormir... —Tyler se frotó la zona donde ella le había dado—. Pero lo que está claro es que nosotros tenemos información.

—No la suficiente. —Emma se sacó el móvil y miró algunas fotos en blanco—. No tenemos ninguna prueba. Si decimos que un grupo de criaturas imaginarias han destrozado el centro del pueblo, creerán que mentimos. O nos encerrarán en un manicomio.

—O creerán que hemos sido nosotros. —Logan apretó la mandíbula—. He visto al *sheriff* Ritchie tomando fotos de las marcas de los buggies. No hay mucha gente por aquí que tenga Trailbreaker Extreme.

Emma se rio por lo bajo.

—A tu padre le va a dar un ataque si tiene que recompensar a alguien por haber entregado a su hijo.

A Logan no le hizo gracia el comentario.

—No permitiremos que esto suceda —le aseguró Opal—. Tienes cuatro coartadas.

—Bueno, si esto significa un cuadricóptero nuevo —murmuró Nico, aunque sonrió para que se dieran cuenta de que bromeaba.

Logan sonrió con amargura.

—En serio, podríamos llevar a la alcaldesa a la casa flotante ahora mismo. —Tyler hablaba cada vez con más desesperación—. Le podríamos enseñar el Otromundo de las narices y salir airosos de todo esto. Cualquiera que lo vea creerá todo lo que decimos.

«No». Una voz habló dentro de Opal, que le resultó desconocida y familiar a la vez. «Otromundo debe permanecer en secreto». Fue como si agua helada circulara por sus venas, pero lo único que dijo fue:

—Creo que llevar a la gente allí es muy mala idea.

Hubo un silencio tenso antes de que los demás asintieran con la cabeza uno a uno. Incluso Tyler. Movió todo el cuerpo al suspirar.

—Entonces, volvemos a la casilla de salida. De nuevo.

—Nos queda una pista —consideró Opal. En su mente veía el esqueleto solitario del fondo de la zanja—. No hemos terminado la investigación sobre Roman Hale.

Emma abrió los ojos.

—¡Es verdad! Dejó algo en el almacén de la maderera.

—Pillaré las llaves de mi padre. —Logan sacudió la cabeza, como si le sorprendieran las palabras que habían salido de su boca—. Podemos ir hasta allí en cuatro por cuatro si todavía no figuro en la lista de los más buscados del FBI.

Tyler soltó una bocanada, hinchando las mejillas.

—Esta vez nuestros padres se van a dar cuenta de que no estamos. La carrera de destrucción de esta noche lo garantiza.

—No tenemos elección —resolvió Nico—. Debemos resolver este asunto.

—Nos la jugamos. —Emma tendió la mano—. Otra vez, vamos.

Opal puso la mano encima de la de Emma. A continuación le tocó a Nico, y después, a Logan. Todos miraron a Logan.

—Vale —dijo con sarcasmo—. Pero que sepáis que os voy a delatar a todos para rebajar mi condena. —Sacudió la cabeza mientras ponía la mano encima de las de todos—. Por una vida de delincuencia.

—Por un solo día de delincuencia —corrigió Emma—. Para salvar Timbers.

—Para salvar Timbers —repitieron todos.

Cuando se separaron, Opal escuchó una palabra muy dentro de ella.

Algo que identificó como su pensamiento, su voluntad.

«Sí».

27

NICO

Nico golpeó de espaldas contra la alambrada.

Le atacaban dos dóberman, que le amenazaban con sus afilados dientes.

«Así es como voy a acabar. Trinchado por los perros guardianes de la Nantes».

Logan se echó a la gravilla, al lado de él, y silbó.

—¡Cecil! ¡Peanut! Venid.

Los animales se detuvieron con un patinazo y ladearon la cabeza, confundidos. El primer perro aulló y arañó el suelo con la pata.

—Buenos chicos —susurró Logan, y los animales irguieron las orejas. Fueron hacia él y le lamieron la mano, moviendo la cola con alegría.

Nico recuperó la respiración.

—Qué tal un pequeño aviso, para la próxima —refunfuñó.

Logan le guiñó un ojo a Nico.

—Disculpa, no me he podido resistir. Además, Peanut no hace nada, ¿verdad que no, chico? —Alborotó el pelo negro del perro. El animal parecía satisfecho con sus atenciones.

Tres pares más de zapatillas entraron en acción. Tyler. Emma. Opal. Los perros no les hicieron caso, contentos con la presencia de Logan. Los despachó con unas últimas palmaditas en la cabeza.

—Vamos. Suerte que los detectores de movimiento están desconectados durante el día. Esos no son fáciles de esquivar.

Logan los condujo por el aserradero, atestado de gente, hacia un enorme almacén de color gris. Primero pasaron entre montones de árboles caídos y, luego, entre pilas de madera ya cortada, sorteando con habilidad unas gigantes máquinas con cuchillas que habrían podido rebanar a Nico por la mitad. Al llegar a lo último que podía esconderlos, una gran perforadora unida a un camión de plataforma, se agacharon y miraron hacia una puerta de acero gigantesca.

—Esta es la entrada posterior —aclaró Logan en voz baja—. No suele haber mucha actividad por la tarde, sobre todo a la hora de la comida, pero, si encontramos a alguien, dejadme hablar a mí.

Nico se mordió la lengua. Aunque le fastidiaba que Logan Nantes de las Narices llevara la voz cantante, todo lo que decía tenía sentido. Nico debía colaborar. Había demasiadas cosas en juego.

«La verdad es que estos últimos días no se ha portado tan mal».

Nico se puso derecho, sorprendido por la confesión. Logan era un enemigo declarado. Durante casi un año se había dedicado a hacerle la vida imposible a Nico. Su futuro en Timbers peligraba por culpa de la familia Nantes, y, sin embargo, ahí estaban los dos, codo con codo, tramando un plan para entrar juntos en un almacén. «De locos».

—¿Tienes un mapa o algo? —Tyler se movió, incómodo—. Es que no me quiero perder aquí.

Logan lo miró con frialdad.

—Mi familia ha dirigido esta empresa durante cuatro generaciones. No necesito un mapa de nuestro almacén. Además, no está tan lleno como antes. No desde que... —Dirigió la mirada a Nico y luego la apartó.

Nico notó que le ardían las mejillas.

—Deberíamos darnos prisa —sugirió Opal, cambiando de tema—. Y no tenemos por qué entrar todos. —Se volvió hacia Tyler y Emma—. ¿Por qué no hacéis guardia vosotros dos? No soportaría que me pillaran saliendo a escondidas.

—¿Y si esos perros regresan? —quiso saber Tyler.

—Ahora no os molestarán —le aseguró Logan—. Os han visto conmigo. Además, antes no he mentido cuando he dicho que eran buenos. Solo tenéis que dejar que Peanut os huela la mano, y ya está.

—Para ti es muy fácil decirlo —murmuró Tyler—. ¿Que le meta la mano en la boca? A mí me gustan mis dedos.

—Nos montaremos en eso. —Emma señaló una colosal máquina de color amarillo provista de una cuchara de acero—. Hay una ventana abierta, o sea que nos podemos esconder dentro. Además, veremos más cosas si estamos más altos.

—Pero procurad que a vosotros no os vean —advirtió Logan—. Y no toquéis los mandos. Quedamos aquí —Logan levantó la vista como si hiciera unos cálculos— dentro de quince minutos. Si ocurre algo, silbad cuando nos veáis frente a la puerta.

—No sé silbar —confesó Tyler en voz baja.

Emma le dio un golpe en el hombro.

—Anda, yo te enseño.

Se separaron. Nico, Logan y Opal corrieron agachados hacia la puerta. Logan introdujo la llave y la abrió. Entraron sigilosos y luego la cerraron a conciencia.

El almacén era un lugar poco iluminado y lúgubre; la única luz que había procedía de unas ventanas sucias situadas cerca del techo. Unas estanterías imponentes se elevaban a un lado y a otro del ancho pasillo central. Albergaban tablas y tablones serrados de toda clase, así como taladros, piezas de maquinaria y otros objetos que Nico no supo identificar. Logan se movía con seguridad, como si supiera qué era todo y qué utilidad tenía. Contra su voluntad, Nico sintió más respeto hacia él.

Logan caminaba deprisa entre los estantes. Al final llegaron a una pared corredera con una puerta provista de una cremallera.

—Aquí es donde los trabajadores guardan sus cosas —explicó Logan—. Algunos leñadores no tienen otro sitio donde dejar sus herramientas, y mi padre les proporciona un espacio. No es para objetos de valor ni nada de eso, sino material que los trabajadores necesitan.

Abrió la puerta y entraron. Esa sala era más pequeña, con estantes como los que podría haber en un armario de suministros. Cada hilera estaba etiquetada con una letra y un número. Logan fue al fondo de todo, donde había un letrero amarillento donde se leía: OBJETOS SIN RECLAMAR.

Logan tamborileó con los dedos sobre el letrero.

—Las pertenencias de Roman Hale se trasladaron aquí cuando fue despedido. Con suerte aún estarán aquí. Al cabo de diez años, los objetos que no se han reclamado se subastan.

—Bien, pero ¿dónde están? —preguntó Nico.

Logan se frotó la barbilla.

—¿Tienes el número de su archivo?

—Sí. —Opal sacó el móvil—. Sección 318-B.

Logan caminó despacio por el pasillo, atravesando rayos de luz natural mortecina. Se detuvo a medio camino y alzó los brazos para coger una pequeña arca muy sucia del estante de arriba; sin quererlo, su cabeza acabó cubierta de polvo.

Depositó el arca en el suelo, le sobrevino un ataque de estornudos y luego escupió al suelo de hormigón.

—Qué asco. Cuánto tiempo llevará esto aquí.

Opal se arrodilló y la abrió mientras Logan se limpiaba los ojos.

Estaba cerrada con un pestillo, pero no con candado, lo que decepcionó a Nico. No era el típico recipiente donde se suelen guardar objetos de valor.

En su interior había solamente un paquete envuelto con tela.

Nico miró por detrás del hombro de Opal.

—¿Qué es?

Ella desdobló la tela apolillada. Los tres se quedaron callados.

—Eh —dijo Nico al final.

Era una barra de piedra lisa, de unos cincuenta centímetros de largo y unos quince de ancho. Opal la levantó y la hizo girar para examinarla.

—Pesa —murmuró.

Logan se puso derecho con un gruñido de desagrado.

—Vaya, qué desilusión.

Nico tuvo que darle la razón. Era un trozo de piedra inútil.

—¡Esperad! —Opal puso la barra bajo la luz, y se apreció su superficie desgastada—. Hay un grabado. Es como una imagen medio borrada. —Con el dedo siguió el dibujo—. ¡Es la mano con la antorcha!

—¡Como en el túnel! —accedió Nico—. ¡Y en los collares!

Opal se dio un pequeño toque en la cabeza.

—Este detalle se nos ha escapado.

—Hemos estado bastante ajetreados —le recordó Nico.

—¿De qué va esto? —Logan miraba a uno y a otro; no le gustaba sentirse excluido de la conversación.

—Este símbolo está grabado en el suelo del túnel —explicó Opal, visiblemente entusiasmada—. También está en el collar que encontramos en el esqueleto de Hale y en algunos cuadros de la casa flotante. Esta imagen lo vincula a la isla. ¡Y a Otromundo, probablemente!

Logan frunció el ceño.

—Aun así, esta piedra no sirve para nada.

—Espera. —Opal inclinó la barra y entornó los ojos—. ¡Hay algo escrito! Pero está en otra lengua. *Accipere Victus.* ¿Alguien que lo sepa descifrar?

—Es latín, ¿no? —aventuró Nico.

Opal y Logan se encogieron de hombros.

Opal siguió girando el objeto entre sus manos.

—Hay una pequeña grieta —murmuró—, justo aquí, en el centro... —Introdujo la uña y apareció una línea muy fina. Opal se mordió el labio, pensativa. Entonces cogió la barra por ambos extremos y los giró en direcciones contrarias.

El cilindro se partió por la mitad.

—Bingo. Es un tubo. —Opal separó las dos partes.

De dentro salió otro objeto, y Nico lo atrapó.

—Alto ahí —dijo—. Suerte que no ha caído al suelo.

Lo que tenía en la mano era una especie de puñal antiguo. La hoja era larga y fina, afilada por ambos lados, y acababa en una punta temible que parecía un punzón picahielos. Estaba provisto de un doble guardamano extraño, y en el puño había grabada la misma insignia de la antorcha.

—Esto no tiene ni pizca de gracia —dijo Logan—. Está prohibido que los trabajadores almacenen armas aquí.

—Pero ¿para qué es? —Nico examinó el puñal—. ¿Por qué esconder un puñal de época dentro de un tubo de piedra?

Logan hizo un gesto vago con la mano.

—Para... ya sabes... enfrentarte a cosas. —Entonces abrió mucho los ojos—. ¡Tal vez lo podamos utilizar para luchar contra las ilusiones!

—¿Lo puedo coger? —preguntó Opal. Nico le ofreció el puñal. Opal lo puso boca abajo y pasó un dedo por el mango sin brillo. La parte inferior del puño sobresalía de un modo curioso y presentaba unas muescas y unos dientes que formaban un dibujo peculiar. De pronto gritó—: ¡Nico, esta parte parece una llave!

—Caramba, pues podría ser. —Nico parpadeó—. Tal vez deberíamos regresar al túnel. El grabado está en ese espacio abierto tan extraño que nunca hemos inspeccionado.

Opal asintió con la cabeza. Le brillaban los ojos.

—Está claro que es muy posible que hayamos pasado algo por alto.

Logan se pasó la mano por su pelo lleno de polvo.

—¿El túnel? ¿Con esas cosas deambulando por ahí? No parece una muy buena idea, que digamos.

Nico miró a Logan directamente a los ojos.

—Todo lo que ocurre es culpa nuestra, Logan. Mía, de Opal, de Tyler y de Emma. Esto lo empezamos nosotros. Si existe una forma de detener Otromundo, nos corresponde a nosotros encontrarla y acabar con esto.

A Logan se le movió un párpado. Le temblaban un poco los dedos.

—Pero tú no empezaste nada —continuó Nico—. Nosotros nos hemos metido en este lío. Nadie de nosotros va a pensar que no estás a la altura si te echas atrás. Ahora bien, creo que Timbers corre un grave peligro, y con esto quiero decir este almacén, la empresa de tu padre, nuestras casas, todo.

Logan apretó la mandíbula. Algo le nubló la vista.

—Me sabe mal lo de tu cuadricóptero —dijo de pronto.

Nico se quedó boquiabierto.

—Nunca te lo he dicho, pero es verdad. —Logan le hablaba con una voz monótona, pero lo miraba con tal intensidad que Nico tuvo que bajar la vista al suelo—. Y voy a decirle a mi padre que deje en paz a los tuyos. No sé si querrá, pero... esto que ocurre no está bien. Tu padre se limitaba a hacer su trabajo.

Logan volvió la vista hacia Opal, que le devolvió la mirada.

Nico se dio cuenta de que todavía tenía la boca abierta. La cerró. Tragó saliva. Hubo un silencio incómodo.

Logan carraspeó.

—Lo que digo es que estoy con vosotros. Vamos a descubrir para qué sirve este puñal. Diablos, vamos a salvar a nuestro pueblo.

Opal incluso aplaudió.

—¡Fabuloso!

Una sonrisa asomó en el rostro de Nico.

—Sí, colega. Vamos allá.

28

OPAL

—Vaya, esto es nuevo —murmuró Tyler.

La bruma se elevaba en espirales desde Still Cove, unas nubes espectrales se enroscaban por los acantilados que bordeaban la ensenada, como si de la noche a la mañana hubiera crecido allí un bosque fantasmagórico, ágil y serpenteante. Opal extendió la mano para tocar una voluta, pero esta se desvaneció entre sus dedos.

—No del todo. —Logan se apeó del todoterreno—. Siempre hay niebla cerca de Still Cove.

Emma se estremeció.

—Pero no tanta.

—Me pregunto si Otromundo tiene algo que ver con esto. —Opal sujetó el puñal con fuerza, apretando el mango contra la palma de su mano. Estaba ansiosa por llegar al túnel, pero tenía los nervios de punta, en señal de alerta.

«¿Qué nos aguarda allí?».

Las huellas gigantes todavía estaban en la hierba, pero no había indicios nuevos de ilusiones.

—Está tranquilo —susurró Tyler.

—Demasiado tranquilo —dijeron los demás al unísono. Intercambiaron unas miradas y chasquearon la lengua con desasosiego.

Emma dio una vuelta completa sobre sí misma, despacio, inspeccionando el campo desierto.

—Ayer por la noche estaban por todas partes, y ahora... nada.

«Nada».

La palabra pareció hacer eco. El olor a piedra húmeda fluctuaba con la brisa.

—¿Y si no hubiéramos traído el cuadricóptero a este lugar? —se preguntó Emma en voz alta.

Nico dio un resoplido.

—Pues ahora mismo llevaría un disfraz de rábano.

—Yo nunca habría experimentado el gozo de perpetrar un asalto sin armas —reflexionó Tyler.

—Yo no habría visto a Godzilla —dijo Emma en tono soñador.

Logan miró boquiabierto a Emma.

—Espera, ¿qué?

Una gran sonrisa se dibujó en el rostro de Opal.

—Te has perdido algunas partes. —Opal se dio cuenta de que le resultaba casi imposible concebir la vida antes de la casa flotante. ¿Tendrían que destruir Otromundo? Pero ¿era posible eso? «Paso a paso».

—Es probable que mis padres ya me estén buscando —dijo Tyler.

Logan suspiró.

—Mi padre se dará cuenta de que los buggies no están.

—Muy bien. —Opal enderezó los hombros—. Debemos seguir.

Sin embargo, nadie se movió, ni siquiera Opal. Una tensión extraña la paralizó, como si su subconsciente se opusiera a que se adentrara en la niebla. Entonces oyó un sonido curioso.

Un golpeteo lento y metódico subía de la ensenada.

—¿Chicos? —A Nico le tembló la voz—. ¿Oís eso?

—Son como unos palillos chinos —dijo Tyler entre dientes—. Viene del camino.

—No. —Opal observó cómo la bruma se agitaba—. Del camino no. Del acantilado.

La niebla se dividió en el momento en que una silueta gigante apareció en el filo del acantilado. Logan reculó tambaleante, alarmado.

—¿Qué demonios es eso?

Opal tardó unos instantes en aceptar lo que tenía ante sus ojos.

Un cuerpo marrón negruzco. Unas mandíbulas pesadas que se movían. Unos ojos oscuros, enormes.

—Oh, no —murmuró Emma, palideciendo.

—¡Una cucaracha, leches! —exclamó Tyler—. ¡Es del tamaño de un autobús escolar!

El insecto extendió sus patas largas y flacas y empezó a deslizarse hacia el campo, examinando el aire con las antenas. Opal observó sus mandíbulas babeantes, que eran lo que producía esos chasquidos. Alzó el puñal, pero todo su cuerpo se estremeció mientras retrocedía.

—Tal vez... tal vez es mejor que dejemos que esta desaparezca sola.

La cucaracha lanzó una antena a Logan. Él esquivó el apéndice húmedo y se precipitó hacia el buggy.

—¡Es hora de irse! —gritó.

—¡Nico, retirada! —Tyler se secó la frente, que estaba empapada—. Paso de que me coma un bicho, chaval. Ni hablar.

—Totalmente de acuerdo —dijo Nico.

Los tres chicos se reunieron en los buggies y se pusieron a cubierto detrás de ellos. Opal siguió sus pasos, blandiendo el puñal. Era como amenazar un elefante con un palillo de dientes.

Emma no se había movido.

—Es culpa mía —musitó.

La cucaracha giró todo su enorme caparazón y desplegó con fuerza una antena hacia donde ella estaba. Emma la esquivó por los pelos y, acto seguido, corrió para reunirse con el grupo. El insecto emitió un sonido similar a un gorjeo.

—¿Esta es tuya, Emma? —susurró Nico mientras se agazapaban detrás de los vehículos.

Emma asintió con la cabeza como un autómata.

—*Roach Motel.* La única película de terror que no he podido acabar de ver.

Opal tragó saliva, sin poder apartar la vista del monstruo. Sus antenas analizaban el aire de nuevo.

—¿Y por qué no?

—¡¿Por qué?! —A Tyler se le quebró la voz—. ¡Es una cucaracha gigante! Además, la de la película tenía unos colmillos venenosos.

—Yo me largo. —Logan extendió el brazo y arrancó el motor—. ¿Quién viene?

La cabeza de la ilusión se giró bruscamente hacia ellos. Con un silbido estridente y chirriante, cargó contra ellos. El grupo se dispersó y Logan saltó del asiento del conductor justo antes de que la cucaracha chocara contra el vehículo en marcha. El monstruo volcó el buggy y hundió en él las mandíbulas.

Opal salió corriendo y al poco se detuvo para recuperar el aliento. Los demás se unieron a ella como pudieron.

—¡Es demasiado rápido! —lamentó Tyler—. No podemos huir de ella, y el motor la ha vuelto loca.

La ilusión había volcado el otro vehículo, que también había quedado boca arriba.

—Lo siento mucho, chicos. —Emma hablaba con una voz débil y temblorosa—. Cuando era pequeña, siempre estaba jugando al béisbol. Un día fui al garaje a buscar el guante. Al introducir la mano —se estremeció de pies a cabeza—, salieron tres cucarachas. Me subieron por el brazo y el cuello. Se me metieron en el cabello. Una me tocó la boca. *Roach Motel* era demasiado. Las cucarachas normales ya dan bastante asco.

Opal la rodeó con el brazo, lanzando una mirada a Nico. «¿Qué hacemos?».

Nico sacudió la cabeza.

—Yo le dije al Sasquatch que estaba arrepentido.

—Olvídalo —gruñó Tyler—. Emma no le debe ninguna disculpa a eso.

La cucaracha gigante perdió el interés por los vehículos. Se volvió hacia el grupo, con las antenas revoloteando en el aire.

La cucaracha hizo un ruidito seco, agitándose. Algo se elevó de su caparazón.

—He olvidado decíroslo —susurró Emma, angustiada—. El monstruo de la película puede volar.

La cucaracha se alzó como un nubarrón, ocultando el sol.

Opal levantó el puñal. No obstante, antes de que pudiera hacer algo, Emma se lo arrebató y se lanzó contra la ilusión.

—¡Emma, no! —gritó Nico.

—¡Detente! —chilló Tyler, mientras Emma corría a situarse justo debajo de la ilusión, inmóvil en el aire.

—¡Lucha, Emma! —gritó Opal asustada.

La cucaracha cayó a plomo desde el cielo, y sus patas chasquearon. Emma se refugió bajo sus fauces y le clavó el puñal en la barriga.

Opal oyó un crujido, seguido de un espachurramiento horrible. La cucaracha se desplomó con un gemido atronador y sus antenas zarandearon bruscamente. Emma salió de entre las enormes patas del insecto, que no dejaban moverse, embadurnada con unas vísceras amarillas, pero aún conservaba el puñal en la mano.

—¡Era mi guante de béisbol! —gritó.

Tiró el arma hacia atrás, dispuesta a atacar de nuevo.

Antes de que pudiera arrojarla, la ilusión desapareció con un sonido similar al de una explosión.

Opal por poco se derrumba de la sorpresa. Emma lanzó el puñal al suelo y cerró los ojos. Al instante todos corrieron hacia ella y la colmaron de atenciones.

—¿Estás herida? —Opal palpó a Emma, buscando un mordisco, una herida, una fractura.

—No me ha pillado. —A Emma le temblaba todo el cuerpo—. Pero ha estado a punto.

—¿Por qué has atacado? —graznó Tyler—. ¡Ahora esas criaturas son peligrosas!

Emma miró hacia el lugar donde había estado la ilusión.

—En la película, justo antes de dejar de verla, la cucaracha volaba alto y, al explotar, salían de ella un millón de cucarachas minúsculas. —Puso una cara como si fuera a vomitar—. No quería que eso sucediera.

—Espera. —Logan alzó la mano—. ¿Has matado la ilusión apuñalándola?

—No lo sé. —Emma estudió el puñal pringoso, tendido en la hierba—. Tal vez el puñal tenga algún tipo de poder. Cuando ha tocado la ilusión, he notado que algo se liberaba dentro de mí. Y sabemos que el puñal está relacionado con la isla.

Logan frunció el ceño.

—Pero Nico no lo tenía cuando derrotó al Sasquatch.

Nico levantó las manos.

—No estoy seguro de lo que hice. Si es que hice algo.

Tyler frunció el ceño.

—Entonces, ¿cómo nos deshacemos de las ilusiones?

Nadie respondió. Un viento frío barría la cima del acantilado, helando los huesos de Opal.

—Esto ya no tiene ninguna gracia —confesó Tyler—. Esa megacucaracha era lo que Emma temía más en el mundo. ¿Por qué Otromundo la ha mandado? —Examinó con mala cara el sendero cubierto de niebla—. ¿Qué más nos espera allá abajo?

«Solo Otromundo lo sabe», pensó Opal. «Nuestros peores temores se hacen realidad».

—Vámonos a casa —sugirió—. Hagamos una pausa. No tenemos por qué bajar hoy a Still Cove.

El miedo persistía en los ojos de Emma, en el gesto de sus labios. Sin embargo, cogió el puñal y lo limpió en la hierba. Todos observaron con atención el arma tan extraña que sostenía. ¿Era la respuesta?

—No —dijo Emma, aferrando el puñal con firmeza—. Lo haremos ahora. Vamos a acabar con esto mientras podamos.

Sin esperar una respuesta, dio media vuelta y enfiló el sendero dando grandes zancadas.

29

NICO

Nico bajaba con cautela por el sendero de la pared del acantilado.

Apenas veía con esa niebla tan densa, que los envolvía como una toalla húmeda. «¿Qué más se esconde aquí?».

Los demás se reunieron detrás de él.

—¿De verdad que vamos a entrar en el túnel? —preguntó Tyler—. ¿Sin saber qué hay ahí abajo?

—No tenemos elección —dijo Opal—. Es donde está el grabado del suelo.

Tyler gruñó en señal de desagrado.

Pasaron por al lado del solitario nido de lechuza, como habían hecho ya muchas veces. Pero el ave no estaba. ¿La habrían ahuyentado unos monstruos que no eran naturales? Nico tenía la esperanza de que no hubiera sido así.

Por fortuna, la cueva estaba vacía. Después de un minuto de vigilancia minuciosa, con el oído atento para detectar cualquier posible merodeador, Nico encendió la linterna del móvil. Con miedo a perder el temple, fue directo al túnel. Al pie del trazado serpenteante, condujo al grupo por el pasadizo subterráneo hasta el espacio abierto. Al llegar todos suspiraron aliviados, pero después ya no tenían ningún plan.

—Bueno... —Tyler se frotó la nariz—. ¿Y ahora qué?

Nico se encogió de hombros.

—¿Alguna idea?

—Podemos inspeccionar la sala. —Opal acercó el puñal al móvil. El símbolo de la mano con la antorcha relucía en esa empuñadura tan extraña—. A ver si encontramos algo similar a esto. Tal vez haya un escondrijo.

—O un interruptor para apagar Otromundo. —Logan se puso a examinar las paredes de la sala con la linterna de su móvil. Los demás se separaron e hicieron lo mismo, pero al cabo de cinco minutos estaban como al principio.

—Se nos escapa algo —sospechó Tyler—. Algo obvio, supongo.

—A no ser que esto sea un simple grabado sin ningún sentido —masculló Emma—. Igual Hale se dedicaba a labrar la piedra.

Nico apoyó una rodilla en el suelo.

—El símbolo de la antorcha nos ha traído hasta aquí, o sea que es posible que el grabado en sí sea importante. ¿Podéis enfocar aquí? Necesito más luz. —Los demás se apiñaron junto a él, y Nico deslizó la mano por los pliegues de la desgastada roca. Su dedo se detuvo en el punto donde se unían la mano y la antorcha. Rascó la piedra polvorienta.

Apareció una fisura con forma ovalada.

—¡Oh, ostras! —Emma ejecutó un pequeño paso de baile—. ¡Lo has encontrado, Nico!

—Todavía no he encontrado nada. —Sin embargo, le hizo unas señas a Opal, ansioso. Ella le alargó el puñal. Nico introdujo la empuñadura en el agujero oval. Encajó a la perfección y la giró con un suave clic. Detrás de ellos, un trozo de pared se abrió. Los asaltó un olor agrio.

—No puede ser. —Tyler se agarró la cabeza—. ¿Otra cámara secreta?

Nico fue corriendo al umbral de la puerta. Al otro lado había una cámara oscura más o menos de las mismas dimensiones. Olía a rancio y también un poco a podrido. Las paredes y el suelo brillaban con unas manchas extrañas de color verde mar. Alumbrando con su móvil, Nico descubrió una pila de antorchas apagadas en el suelo. Un viejo mechero Zippo descansaba en un rincón, más arriba de donde estaban ellos.

Logan miró a su alrededor, confundido.

—¿Qué es este resplandor?

Nico cogió una antorcha del montón. Estaba recubierta con una gruesa capa de moho y suciedad. La limpió lo mejor que pudo y luego abrió el mechero. Hizo girar la rueda un par de veces, sin éxito, pero al final apareció una chispa.

Nico encendió la antorcha y se la dio a Opal, y a continuación cogió otra. Solo las que estaban encima del todo eran aprovechables; el resto se habían transformado en una masa viscosa de moho negro. Aun así, Nico no desistió y logró encender tres más. Descubrieron unos soportes en la pared y Opal colocó las antorchas. Emitían una luz tenue y enigmática, creando un ambiente espectral en la estancia.

Nico se levantó. Sentía una enorme curiosidad por el artífice de ese lugar. ¿Quién habría construido una cámara subterránea secreta? «Alguien que quería esconder algo. Para resguardar algo».

La estancia era circular, con unos rectángulos mugrientos de lona adheridos a la pared, un tablero de ajedrez negro y amarillo, un diamante rojo, una gran cruz azul. Cuatro arcones de madera ocupaban los puntos cardinales. Había una pesada mesa en el centro, con unas velas medio derretidas. Un fajo de papeles podridos reposaba en el medio.

—Son banderas de señalización. —Emma indicó con la mano los emblemas de lona desgastada que estaban colgados en la pared—. Náuticas. Las que usaban antes los barcos para comunicarse en el mar.

Sin embargo, había unas manchas de un amarillo verdoso por todas partes que embadurnaban gran parte de la mesa y del suelo. Nico se agachó para examinar una, y rápidamente se levantó con cara de asco.

—Babosas. Son repugnantes. —Echó un vistazo a su alrededor—. Oh, Dios, están por todas partes. Eso explica que haya luz en la sala.

En otro momento le habría dado un ataque de pánico, pero después del encuentro con una cucaracha venenosa gigante, unas babosas normales y corrientes parecían fáciles de manejar.

—¿Cómo? —dijo Logan—. ¿Por las babosas?

—Bioluminiscencia —aclaró Opal—. Estas babosas emiten su propia luz. Seguramente se instalaron aquí cuando murió Roman Hale. —Tocó la babosa con un dedo—. ¡Puaj! Es como pegamento.

Tyler señaló los documentos podridos de la mesa.

—Eso, lo que fuera..., ahora ya no sirve.

Opal se acercó a uno de los arcones y trató de levantar la tapa haciendo palanca. Las bisagras crujieron, pero al final cedieron.

—Libros antiguos —informó con el ceño fruncido—. Pero aquí también hay babosas.

Logan y Emma abrieron otros dos arcones y hallaron lo mismo. Tyler abrió el último.

—Guau. Venid a ver esto. —Cogió un puñal cubierto de baba—. Como el del almacén, solo que no tiene esa rara empuñadura con forma de llave. —Rebuscó en el interior del arcón—. Aquí hay un montón de estos juguetitos perversos.

Emma empuñó uno y lo levantó con ademán triunfante.

—¡Esta es la respuesta, chicos! ¡Podemos luchar contra las ilusiones!

Tyler empezó a distribuir los puñales. Logan trató de hacer girar uno con la mano, pero se le cayó al suelo con un fuerte estrépito. Lo recogió con una sonrisa, avergonzado.

—Ya no hay necesidad de salir corriendo, Holland. ¡Criaturas imaginarias, cuidado!

—Pues claro. —De todos modos, Nico dudó. Sabía que

tendría que haberse puesto eufórico, porque seguro que Emma llevaba razón, pero había algo en esas armas mágicas que le resultaba falso. No había sostenido un puñal especial para matar ilusiones al enfrentarse con el Sasquatch. «Quizá fue solo cuestión de suerte».

Nico dejó el puñal y se acercó a la mesa, andando con mucho cuidado. En la superficie estaba grabado el mismo lema que en el cilindro de piedra de Roman Hale: ACCIPERE VICTUS. Parecía que el moho crecía de un solo libro, de gran tamaño. A Nico le costó mucho leer lo que había escrito en el lomo: *Índice de Portadores de Antorchas: 1741-*

—Chicos, venid a ver esto.

Opal levantó la vista, debió de ver algo en los ojos de Nico. Se apresuró a reunirse con él. Los demás hicieron lo mismo. Nico señaló el libro pringoso y muy deteriorado.

—Creo que esto era una lista de las personas que custodiaron Otromundo.

Logan frunció el ceño.

—¿Por qué lo dices?

Nico señaló el título.

—Parece una lista.

—Ábrelo, Nico —dijo Tyler.

Él no movió ni un dedo para tocar las páginas infestadas de babosas.

Arrugando la nariz, Nico levantó con cuidado la cubierta mohosa. La mitad se le deshizo entre los dedos. Lo que quedó de la primera página era una columna con nombres y fechas, y las anotaciones más antiguas estaban manchadas y borrosas. Algunas estaban escritas con una letra elegante, mientras que otras eran unos garabatos toscos que eran casi ilegibles. Al parecer, la anotación más reciente había sido escrita con un bolígrafo azul.

—Portador de antorchas 115. —Emma señaló la anotación de la parte inferior—. Roman Hale.

—El último nombre del libro —dijo Opal en voz baja—. Y mirad la firma que hay encima de la suya. Clarisse Barquera. Parece más antigua que la de Roman. Supongo que él fue portador de antorchas durante mucho tiempo.

Nico notó una presión en el pecho.

—Es probable que el tipo tuviera un accidente. O un infarto. Se cayó en ese hoyo y murió, y no hubo otro portador de antorchas que lo sustituyera.

—Nadie custodiaba Otromundo —musitó Tyler—. Y entonces aparecimos nosotros.

Opal asintió con tristeza.

—Esto explica que la casa flotante estuviera vacía, y también que esta sala esté hecha una pocilga. No ha habido nadie que la cuidara.

Logan soltó un suspiro de frustración.

—Eso es importante, pero no nos ayuda. Todavía no sabemos cómo parar Otromundo ahora que se ha trastornado.

—No es verdad. —Emma apretó la mandíbula con determinación—. Ahora tenemos puñales. Las ilusiones no tienen nada que hacer contra nosotros. Podemos recuperar el control de la isla.

Nico encontró la mirada de Opal y vio su propia inquietud reflejada en ella.

—¿Lo ves factible? —preguntó él.

—No estoy segura. —Se mordió el labio inferior—. Podría ser. Ya has visto lo que ha ocurrido cuando Emma ha utilizado uno.

Nico asintió con la cabeza, vacilante. ¿Podría ser que fuera así de sencillo?

—Este libro tiene más páginas —recordó Logan—. ¿Y si las leyéramos?

Nico alejó sus pensamientos turbulentos. Pasó la página, y al hacerlo se desintegró en su mayor parte, pero aun así pudo leer el título del siguiente capítulo. De sus labios escapó un silbido.

—La naturaleza de lo Profundo —soltó Opal—. ¡Bingo!

Nico miró fijamente esas palabras llenas de babosas. Ese libro podría contener todas las respuestas que habían estado buscando, pero se estaba haciendo pedazos literalmente.

Tyler indicó con la cabeza la frase labrada en la mesa.

—«Acepto la derrota». Me pregunto de qué va esto.

Los demás lo miraron fijamente, estupefactos. Tyler tardó un momento en darse cuenta.

—¿Qué? ¿Qué he hecho? Es latín.

Emma le dio un empujón con las dos manos.

—Fuera. ¿Sabes latín?

—Mi padre lo estudió en el cole —dijo Tyler a la defensiva—. Me obligó a aprender un poco. Pero no sé mucho, eh.

Nico intentó seguir hojeando el libro, pero las siguientes páginas estaban pegadas. Se quedó con un trozo de tapa en las manos.

—Qué asco de babas —dijo.

—Está totalmente inservible. —Opal se cubrió el rostro.

Nico continuó pasando las páginas, casi desintegradas.

—Aquí dice algo de... leer el alma. Mira esto de aquí. —Dio unos toquecitos en unas líneas descoloridas—. Lo Profundo... augura. O puede que la palabra sea *ataca*. Lo que, claro está, es totalmente diferente. —Cerró los ojos con fuerza, frustrado. Una babosa se le puso en la mano y se la sacudió con un grito.

Tyler le dio unas palmaditas en el hombro.

—Tú no te rindas. Tal vez saquemos algo de todo este embrollo.

Nico suspiró profundamente y siguió hojeando el libro en busca de algo que fuera legible. Logan hizo ademán de hablar, pero Nico le indicó que callara. Al final dio con un fragmento más claro. Todos se agolparon a su alrededor para poder leer a la vez.

Tyler fue el primero en hablar.

—La verdad es que esto no pinta bien.

—Me ha parecido entender que Otromundo lee mentes. —Opal tamborileó con la uña sobre la página—. Escuchad: «Lo Profundo explora la psique y la asimila, y de este modo crea una impresión».

—¿Qué es lo Profundo? —preguntó Logan.

—Otromundo. —Emma hizo un gesto para quitarle importancia—. Nuestro nombre es mejor.

Nico no les hizo caso y se centró en Opal.

—Pero eso ya lo sabíamos. Las ilusiones proceden de nuestra imaginación.

—Creo que va más allá —expuso ella—. Creo que significa que Otromundo entra en tu interior de algún modo una vez que te tiras al pozo. A continuación dice: «Los sujetos llevan Otromundo más allá de la vorágine en una simbiosis que puede, si no se ponen barreras, convertirse en parasitaria».

A Tyler se le agrió la expresión.

—No me gusta esta frase.

—Pues no —convino Logan.

—¿Y si dejas de hacerlo? —preguntó Emma, nerviosa—. ¿Y si no entras nunca más?

Tyler negó con la cabeza.

—No está claro. Pero dice que las ilusiones salen de la gente, no del pozo. El agua es solo la jaula de Otromundo.

—¿Jaula? —Nico sintió un picor por todo el cuerpo.

Tyler se cruzó de brazos, malhumorado.

—Yo creo que es eso lo que dice, pero la tinta está corrida y hay babas por todas partes. —Se estremeció—. Si Otromundo permanece dentro de ti, eso podría explicar por qué las ilusiones no aparecen en las fotos. Se proyectan desde el interior.

—¿Y lo de los puñales? —inquirió Emma—. ¿No dice nada?

—Nada que pueda descifrar —protestó Tyler.

Opal negó con la cabeza.

—Tampoco veo nada que diga cómo cerrarlo —añadió Nico, desanimado.

—Esta parte es la peor. —Opal señaló abajo de todo de la página—. «Una vez activado, el ciclo se va haciendo más fuerte con el tiempo. Lo Profundo puede huir si no está vigilado». La última palabra está en negrita. Apuesto a que se refiere a los portadores de antorchas. Deben hacer algo para retener a Otromundo.

Nico notó que un sudor frío le humedecía las sienes.

—¿Qué ocurre si huye?

—Nada bueno. —Opal tamborileó con el dedo sobre el último párrafo—. «Bajo ningún concepto se debe permitir que lo Profundo se alimente de miedos. Ello lo hará más fuerte y más hambriento, y será más poderoso con cada mente que toque». —Se le quebró la voz después de leer la última línea—. Chicos, tenemos que detener eso antes de que afecte a más gente. Si no...

Silencio.

Logan al final lo rompió:

—Si no, ¿qué?

Opal lo miró fijamente con unos ojos centelleantes.

—Se escapará —murmuró—. Y no podrá ser capturado nunca más.

30

OPAL

Opal condujo al grupo hacia el exterior del túnel.

En la isla reinaba un silencio sepulcral, como si contuviera la respiración.

—No hay nadie —murmuró Nico, inspeccionando el socavón—. Démonos prisa. No quiero otra batalla si la podemos evitar.

Todos llevaban un puñal de portador de antorchas. Se dirigían al pozo.

—Es el momento de acabar con todo esto —resolvió Opal.

¿Cómo? No lo sabía. Pero debían enfrentarse a Otromundo y detenerlo.

Empezó a subir la cuesta. En la cima se detuvo. Opal no veía la casa flotante a través de la niebla, pero las aguas del lago se mecían de un modo extraño, como si unas profundas olas se movieran bajo su superficie. «Tú sigue adelante».

Descendieron al descampado, muy cerca unos de otros. Sin embargo, cuando ya estaban cerca, las aguas se elevaron formando una ola impresionante. Una cabeza negra monstruosa surgió de la superficie.

Logan se quedó paralizado, con los ojos fuera de las órbitas.

—¡¿Qué es eso?!

—¡Una ilusión! ¡Corred! —Nico señaló el camino de piedras—. ¡A la casa flotante!

Opal levantaba polvo con las zapatillas deportivas mientras corría. Emma iba a su lado, con el puñal bien aferrado. Logan, Nico y Tyler se abrieron en abanico cuando el grupo cruzaba la hierba.

—¡Es la Bestia! —se desgañitó Tyler, con una voz de auténtico pánico—. ¡Es real, lo sabía!

A Opal le dio un vuelco el estómago. Se aventuró a mirar al lago y luego se arrepintió.

«Fauces, dientes y dolor».

La criatura era colosal, con las fauces repletas de dientes muy afilados. Tenía el cuerpo liso y brillante como una serpiente marina, una montaña de color índigo que se retorcía, y salió del agua apoyándose sobre sus gruesas patas musculosas. Las escamas titilaban por todo el cuerpo de la Bestia, y sus ojos eran unos charcos negros de petróleo.

El aullido de la Bestia sacudió la tierra. Entonces se movió, más veloz que un parpadeo, y se abrió paso a través de la tierra para interponerse en su camino. Logan se detuvo en seco cuando las mandíbulas del monstruo se cerraron a unos centímetros de su cabeza. Al instante dio media vuelta y corrió hacia donde estaban apiñados sus amigos, presos del terror.

—¡Preparad las armas! —ordenó Emma—. ¡Es nuestra única oportunidad!

Tyler la agarró del brazo.

—¡Olvídate de los puñales estúpidos, debemos irnos! La Bestia está aquí. ¡Sabía que era real! —Estaba al borde de un ataque de histeria.

Opal recapacitó. La peor pesadilla de Tyler avanzaba directamente hacia ellos haciendo rechinar los dientes.

—¡Tyler, escucha! —dijo Opal—. Es una ilusión, no la Bestia. ¡No es real!

La Bestia rugió y arremetió contra ellos, arrancando el suelo con sus garras. Tyler se hizo un ovillo y se cubrió la cabeza. Emma se abalanzó a un lado y el puñal se le cayó en la hierba. El monstruo imitó su movimiento, y sus mandíbulas se cerraron en el espacio que Emma había ocupado hacía solo un instante.

Opal echó a correr hacia el otro lado, a ciegas. Sin ninguna otra opción, se tiró al estanque.

Por poco se le detuvo el corazón al entrar en contacto con el agua helada. Pataleó bajo la superficie mientras un rugido frustrado retumbaba en las profundidades. Cuando ya no le quedaba aire, salió a la superficie, resoplando, y se secó los ojos.

Logan y Nico corrieron a ayudar a Emma. La Bestia se movió violentamente por el descampado tratando de apresar a Nico con los dientes. Logan se agachó, doblando las rodillas, para esconderse mejor. Emma gritaba a Tyler al oído para convencerlo de que fuera hacia al bosque, pero él parecía incapaz de moverse.

Opal vio que Nico corría a ponerse a cubierto detrás de un árbol caído y se retorcía debajo de él. La Bestia dio media vuelta y descubrió a Emma y a Tyler. Cargó contra ellos, bramando con furia.

—¡Cuidado! —vociferó Opal.

Tyler se puso de pie con dificultad. Empujó a Emma detrás de él y levantó el puñal. La Bestia aminoró la marcha, acechante, con sus ojos negros relucientes. Tyler enderezó los hombros.

La criatura se detuvo. La saliva le goteaba de la boca mientras observaba a Tyler con curiosidad. Se miraron a los ojos durante unos segundos, uno rugiendo como un dragón, el otro temblando como una hoja.

La Bestia gruñó. Su cabeza salió disparada hacia delante en un golpe mortífero.

Tyler saltó, esquivando a la Bestia, y le asestó una puñalada en el cuello. Un flujo abundante de sangre negra manó de la herida. La Bestia reculó y dio un alarido, y acto seguido arrebató el puñal a Tyler.

No obstante, la ilusión no desapareció.

—No —dijo Opal sin aliento, metida en las aguas poco profundas.

—¡No ha funcionado! —Tyler retrocedió, y hablaba con la voz entrecortada mientras levantaba la vista al depredador sobrenatural—. ¡Todo el mundo fuera de aquí! Yo... Yo...

Nico y Logan estaban agazapados en el límite del bosque, demasiado alejados para llegar adonde estaba Tyler antes de que la Bestia atacara de nuevo, pero Emma echó a correr y se puso a su lado, con el puñal aferrado.

Los ojos de la Bestia se movieron hacia ella.

—Emma, vete de aquí —le ordenó Tyler con voz aterrorizada.

Veloz como un rayo, la Bestia sacudió la cola, que alcanzó a Tyler en el pecho y lo tiró al suelo. Al cabo de un segundo se volvió hacia Emma.

—¡Corre! —chilló Opal.

La Bestia volvió a sacudir la cola, que barrió los pies de Emma. El puñal le saltó de la mano. El monstruo acercó su rostro al de ella y pareció sonreír, dejando al descubierto una afilada dentadura, dispuesto a acabar con Emma.

—¡Emma!

Tyler cogió el puñal del suelo y lo arrojó con todas sus fuerzas. La hoja se hundió en el costado de la Bestia.

Sus ojos se abrieron. Un aullido de dolor sacudió la isla.

La Bestia resplandeció un momento y desapareció.

—Me cago en todo. —Opal salió del agua, mientras Nico y Logan aparecían entre los árboles. Opal cogió el puñal de la llave donde se le había caído, en la hierba.

Tyler y Emma estaban desplomados uno al lado del otro, respirando agitadamente. Chocaron sus puños temblorosos.

—Vámonos de aquí —dijo Logan con una voz seca.

Nico agarró el hombro de Tyler.

—¿Estás bien, tío?

—Sí —respondió Tyler casi sin aliento—. Mejor que nunca. Que salgan más Bestias.

—No lo entiendo. —Opal miraba fijamente el puñal que sostenía en la mano—. El puñal primero no ha funcionado, pero ¿luego sí?

—Ni idea —dijo Tyler con una voz débil—. En serio. Solo vi que iba a por Emma y reaccioné.

Un viento cortante barría la isla, enfriando la piel de Opal. De pronto experimentó una sensación de pérdida inminente.

—Deberíamos entrar —sugirió—. Ahora mismo.

No obstante, antes de que nadie se pudiera mover, una figura vestida de negro salió del bosque. La criatura llevaba una guadaña. Su túnica no se mecía con el viento.

Opal sabía exactamente quién era. «Me toca».

—Debéis iros, todos —dijo con voz temblorosa—. A la casa flotante.

Nico negó con la cabeza, mirando fijamente la sombría aparición.

—Ni lo sueñes, Opal. ¿Qué es eso?

—Es la Muerte. —Opal agarró con fuerza el puñal de la llave—. Esta ha venido a por mí. Yo ya iré después...

—Opal, eso es la Muerte. —Emma tragó saliva—. Nadie puede enfrentarse a la Muerte.

Opal soltó una risa algo alocada.

—Espero de verdad que te equivoques.

El espectro se deslizó suavemente por la hierba. Los tallos que estaban en su camino se marchitaban y morían.

Opal respiró hondo.

—Tengo que vencer mi miedo. Es tal como lo habéis hecho vosotros, chicos.

—Yo no creo... —empezó Nico, pero ella lo interrumpió.

—Estáis perdiendo el tiempo. Por favor. Esta es para mí.

La Muerte se detuvo a unos diez metros de allí. A Opal se le entrecortó la respiración.

—Debéis detener Otromundo —susurró Opal—. Debemos poner fin a esto. Marchad ahora.

La Muerte lanzó al aire su guadaña reluciente. Logan se volvió y corrió hacia el caminito de piedras.

—Sé fuerte —murmuró Tyler—. Tan solo es una ilusión, no la Parca. —Cogió la mano de Emma—. Vamos.

Unas lágrimas resbalaron por las mejillas de Emma. Miró a Opal, que asintió con la cabeza. Emma se mordió el labio, luego se volvió y corrió con Tyler.

Nico no se movió.

—Nico, por favor. Remata el trabajo. Yo tengo este, pero debo hacerlo sola.

El rostro de Nico reflejaba sus sentimientos enfrentados.

—Te quiero ver detrás de mí —le dijo bruscamente, repitiendo la misma frase que ella le había dicho la noche anterior.

Lo oyó protestar de impotencia, pero giró sobre sus talones y se fue corriendo. Opal soltó una bocanada temblando. «Así es como te enfrentas a la Muerte. Sola».

La Parca avanzó un poco más. Unas manos blancas como el hielo aferraban el puño negro de la guadaña.

«Ven a buscarme». Opal agarraba el puñal con tanta fuerza que le dolían los dedos. «No estoy tan indefensa como crees». Sin embargo, el corazón le martilleaba en el pecho. ¿Cómo era posible enfrentarse a la Muerte sin miedo?

Dio un minúsculo paso hacia atrás. Y luego otro.

La Muerte se aproximaba. «Al final siempre te atrapa».

La sombra de la guadaña bañaba el cuerpo de Opal. El terror le latía por las venas. Su respiración se entrecortó, se detuvo, quedó suspendida en el aire. La Muerte se quitó la capucha. Unos ojos vacíos se clavaron en ella.

«Soy el final de todo».

Opal gritó. El sonido resonó a través de ella, avivándole la sangre, los huesos.

Huyó de la Muerte corriendo con todas sus fuerzas.

31

NICO

Otromundo estaba tan agitado como un huracán.

Nico miró fijamente aquella oscuridad turbulenta mientras unas luces inquietantes parpadeaban en las paredes.

Ahí estaban. No había nada entre ellos y el remolino.

—¡Date prisa, Nico! —Emma señaló el puñal que él tenía en la mano.

—¡Tíralo dentro! —Tyler estaba encogido detrás de ellos mientras Logan vigilaba la escalera. ¿Dónde estaba Opal?

Nico examinó la hoja. ¿Era esa la respuesta? ¿Podía detener Otromundo si lo atacaba de algún modo? Su intuición se rebeló contra una solución tan simple, porque ¿cómo era posible que un puñal hiriera un remolino de agua? Aun así, no sabía qué más podía hacer.

La casa flotante temblaba con la fuerza giratoria de

Otromundo. Nico temió que el entarimado se hiciera añicos. Temió que todo se estuviera haciendo añicos.

Se oyó un estrépito arriba, y al instante Opal apareció corriendo escaleras abajo. Ignorándolos a todos, se desplomó junto a la pared del fondo y se abrazó las rodillas, pegándolas al pecho.

—¿Opal? —dijo Nico.

Ella no respondió; tenía los ojos muy abiertos por el pánico. El encuentro con la Muerte seguramente la había alterado. «¿De veras, Nico? ¿Quién no quedaría tocado después de una cosa así?».

Sin embargo, en ese momento Nico no podía ayudarla. Intuía que no les quedaba mucho tiempo. Otromundo vibraba y borboteaba, era una tormenta que arrasaba con todo. Se puso en el filo, con las palmas de las manos sudadas. «¿Cómo puedes detener una fuerza de la naturaleza?».

Nico levantó el puñal y, justo cuando se disponía a arrojarlo al pozo, una silueta negra surgió de las tinieblas al otro lado de la habitación.

Por poco se le para el corazón. Había algo allí con ellos. Antes de que Nico pudiera soltar un grito de alerta, la silueta avanzó y la luz fantasmagórica la enfocó.

Toda la sangre le subió de repente a la cabeza, y luego cayó a plomo a través del suelo.

No podía respirar. Miraba algo que no podía ser.

Miraba a su padre.

Warren Holland caminó con paso decidido alrededor del pozo, fulminando a Nico con la mirada desde su imponente altura.

—Nico, ¿qué crees que estás haciendo?

Nico se quedó boquiabierto, incapaz de responder. ¿Qué hacía su padre allí? ¿Cómo había encontrado la casa flotante? ¿Cómo había llegado a la isla?

Warren se cruzó de brazos.

—Nico, estoy tremendamente decepcionado. ¿Tienes idea de lo violento que esto resulta para mí? ¡Esta bromita tuya me podría costar el puesto de trabajo!

—Nosotros... Yo no... —balbuceó Nico—. Yo no quería... Yo... Caí...

Warren negó con la cabeza y dijo con voz muy indignada:

—Que no pensaste, eso es lo que ocurrió. Como siempre. Cada día me deslomo para que a ti y a tu hermano no os falte de nada, y tú venga a liarla a mis espaldas. ¡Ya estoy harto de ti! Eres incapaz de hacer algo bien.

A Nico le escocieron los ojos, llenos de lágrimas.

—Lo siento, papá. Yo no quería...

Alguien le cogió la mano. Nico retrocedió, alarmado, pero los dedos no lo soltaron.

Opal. Se había levantado del suelo y estaba a su lado.

—Últimamente lo único que has hecho es estropearlo todo —prosiguió Warren Holland, hablando cada vez más acalorado—. Es por eso por lo que estoy siempre fuera. No quiero verte. No quiero estar en esa casa.

Algo frío agarrotó el pecho de Nico como si ya se hundiera dentro de la corriente negra de Otromundo.

«Dice la verdad. No me quiere».

—Nico, estoy aquí —dijo Opal con firmeza—. No escuches a este monstruo. No es real.

Nico parpadeó. Le empezaron a temblar las rodillas.

Opal observaba a Warren Holland con detenimiento.

—Nico, mírale a los ojos.

Casi contra su voluntad, Nico miró a su padre directamente a los ojos. En ellos no vio nada más que odio.

—Eres un fracasado, chaval. —Warren asintió con la cabeza como si fuera una sentencia—. Ojalá no fueras mi hijo.

Opal apretó la mano de Nico, reteniéndolo.

—¡No! Míralo otra vez. Nico, míralo con atención.

A Nico le flaquearon las piernas, pero no se cayó. Alguien estaba de pie detrás de él. Al volverse se encontró con Tyler, y Emma estaba a su lado. Ella le puso a Nico una mano en el hombro. Incluso Logan se unió al grupo, sin apartar la vista del padre de Nico, que los seguía mirando a todos con mala cara, como si hubieran robado algo.

—No es real —repitió Opal—. Estamos contigo.

Nico contuvo la respiración, temblando. Se enfrentó a la mirada penetrante de su padre. Había rabia todavía, pero también... otra cosa. El blanco de los ojos de su padre. Estaba... encendido. Lo tenía rojo.

—Es una ilusión —susurró Opal—. Este no es tu padre. Es tu miedo.

Warren se acercó al pozo revolucionado y desbocado.

—Mi trabajo es lo primero, Nico. Me da igual cómo te repercuta. Eso no tiene importancia. Nunca la ha tenido.

—No escuches —le aconsejó Tyler entre dientes—. Ese no es tu padre, es un monstruo. Es tu monstruo, Nico. Lo puedes dominar. Nos tienes a nosotros.

Nico dio un grito ahogado. La cabeza le daba vueltas como el pozo gélido.

—Pero... puede que... una parte de lo que...

—Da igual. —Opal señaló a Warren Holland—. Esto es una pesadilla, y tiene que terminar ahora.

La voz de su padre se tornó amenazadora.

—Nico, aléjate de estos niñatos. No son amigos tuyos. Te están utilizando. Se ríen de ti.

—¡Eso no son más que chorradas! —Emma se abalanzó hacia él y clavó el dedo en el rostro de Warren—. Di lo que quieras, embustero, pero él nos tiene a nosotros. Y nosotros siempre lo tendremos a él.

Warren entornó los ojos, inyectados de sangre. Cerró las manos y apretó fuerte.

Nico se situó delante de Emma y se encaró con su padre.

—No eres real. —Se secó los ojos. El miedo que sentía Nico se convirtió en rabia y dejó que fluyera—. Lo que has dicho no es cierto. Pero aunque lo fuera, me trae sin cuidado. Tengo gente que me quiere. No estoy solo.

La ilusión de Warren Holland lanzó una mirada hostil a Nico, con una vena del cuello hinchada. Como no se movió, Nico puso la mano sobre el pecho uniformado de su padre.

—Vete de aquí.

Lo empujó.

Sus dedos atravesaron la nada en el momento en que Warren Holland se desvaneció.

Nico sintió que se quitaba un peso de encima. Al tomar

aire emitió un sonido áspero, como si se fuera a ahogar, mientras Opal, Tyler y Emma lo envolvían en un abrazo. Logan se quedó un poco separado, y le dio a Nico una palmadita poco elegante en el hombro.

Otromundo explotó.

Una columna de líquido negro salió proyectada desde el pozo y, al chocar contra el techo, roció la sala con unas minúsculas gotas gélidas. Al mismo tiempo, algo metálico raspó la escalera.

Tyler se acercó corriendo y miró arriba.

—¡Ha vuelto la Parca! —Le temblaba la voz, presa del pánico.

Opal se fue hacia la escalera.

Nico quiso ayudarla, como ella había hecho con él, pero era incapaz de apartar la vista de Otromundo. En su interior, algo oscuro cobró forma. Apareció el contorno fantasmagórico de un rostro. Miró a Nico fijamente con unos ojos hundidos.

A Nico lo invadió la desesperación. Quería gimotear de miedo, pero estaba demasiado asustado para emitir algún sonido. Intuía que eso no era una ilusión.

Eso era Otromundo.

Había venido a acabar con ellos.

—Oh, tío, ahora sí que estamos perdidos —susurró Tyler.

Una lluvia negra congelada seguía precipitándose a su alrededor. Emma y Logan se apoyaron de espaldas a la pared.

Nico oyó que la guadaña de la Muerte golpeaba el suelo del sótano, de modo que estaban acorralados en la sala.

Opal se plantó delante de la Parca.

—Ahora lo entiendo —dijo con voz temblorosa—. No basta con que me enfrente a ti. También te tengo que aceptar. —Levantó el puñal de Roman Hale—. «Acepto la derrota». Tengo que aceptar mi miedo, porque es real, aunque tú no lo seas.

La Parca alzó la guadaña. La clavó en las tablas del suelo.

«Soy el fin de todo».

Opal se acobardó y casi echó a correr. Sin embargo, en esta ocasión se mantuvo firme.

—No —susurró—. No lo eres. —Su voz poco a poco ganó confianza—. Un día moriré, pero ya es eso. Todo el mundo tiene que morir. Aún tengo el presente. Tengo a mis amigos. No estoy sola.

La Parca echó atrás la guadaña, pero Opal fue más rápida. Se le acercó y con cuidado le rozó la manga.

Justo en el momento en que la tocó, la Muerte desapareció. Opal tuvo un escalofrío, y acto seguido sonrió.

Un grito atronador surgió de Otromundo. La columna de agua negra se ensanchó hasta doblar su tamaño. El rostro fantasmal apareció de nuevo y presionó contra la superficie. Nico advirtió la silueta de unas manos enormes. El agua manaba al exterior y cobraba forma.

—¡Intenta salir! —exclamó Emma—. ¡Corramos!

—¡No! —gritó Nico.

Había que detenerlo. Se tenía que acabar.

—¡El miedo, Nico! —Opal corrió junto a él—. ¡Otromundo se alimenta de miedo! No podemos dejar que gane.

Nico se dio cuenta de que todavía sostenía el puñal. Lo lanzó a la columna de agua, pero el cuchillo la atravesó y rebotó contra la pared del fondo. La criatura se deslizaba al exterior, dejando al descubierto una forma humana, aunque su cabeza semejaba un espectro y tenía unas manos gigantes. Ya estaba prácticamente fuera, como una pesadilla negra que envolvía el pozo.

Nico se estrujó el cerebro. Debía encontrar algún modo de derrotarla.

«Otromundo se alimenta de miedo».

«Del miedo que tenemos dentro».

La criatura se situó en el borde del pozo. Sus labios se retorcieron en un gruñido perverso.

«El miedo nos une. Nos ata».

«Estoy atado a Otromundo».

A Nico se le saltaron los ojos. Encontró la mirada vacía de la criatura.

«Debo cortar esta atadura».

Nico cogió la mano de Opal.

—¿Estás conmigo?

Ella se lo quedó mirando un momento, y a continuación abrió mucho los ojos.

Nico le apretó la mano. Opal le devolvió el gesto.

—Sí —susurró.

Un grito desgarrador rasgó el aire.

Juntos se enfrentaron a Otromundo mientras él luchaba por huir del agua.

Juntos se sumergieron.

Oscuro.

Húmedo.

Frío.

Nico flotaba en el vacío, paralizado por el terror.

Había oscuridad a su alrededor. Lo asfixiaba. Le robaba el alma dándole unos mordiscos minúsculos y voraces.

Otromundo se escabulló de la oscuridad. Trató de alcanzar el cuello de Nico, pero algo se lo impidió bruscamente.

«Una mano».

«Tengo manos, y alguien coge la mía».

Opal. Pensó en ella, y apareció al lado de él. Había agua por todas partes, pero también en ninguna parte, como si se movieran sin rumbo en un vacío. «¿Todavía estamos en el estanque? ¿Es este un lugar real?».

La criatura los observó con evidente maldad. Aparecieron unas ilusiones en la nada.

La cucaracha. La Bestia. La Muerte y su guadaña.

Nico estrechó los dedos en torno a los de Opal. Recordó que, cuando montaban en bici, inventaban mundos nuevos. Ello lo hizo más fuerte. Más consciente de cualquiera que fuera el vacío que ocupaban. Se enfrentaron a las pesadillas juntos.

«No te tenemos miedo». Opal pensaba en lugar de hablar. «Ya no».

«Esto acaba ahora». Nico cerró los ojos, concentrándose. «Es hora de que las ilusiones se vayan».

Una a una, las criaturas imaginarias fueron apagándose. Otromundo dio un aullido.

Nico sintió una brizna de esperanza, como una ventana que se abre para dejar entrar aire fresco.

«Tú no eres de aquí». Opal señaló a Otromundo. «Este no es tu sitio».

Gritó. La criatura se estiró cuanto pudo; su rostro era una máscara de pura ira.

«Cadenas», pensó Opal. Unas cadenas de hierro tintineantes aparecieron alrededor de las muñecas de Otromundo. Bramó furioso y trató de quitárselas. Pero Opal había resuelto el enigma. Nico sabía qué debía hacer.

«Puñal», pensó Nico, y un arma apareció en su mano.

Ahora Otromundo rugió con algo de miedo. Opal también sostenía un puñal.

«Vete», le hizo saber Opal. «O acabaremos contigo».

Otromundo chilló como una rata acorralada. Mientras Nico miraba cómo forcejeaba con las cadenas, descubrió una línea negra que vibraba y salía de su espalda. La cuerda estaba ahí y de repente no estaba, y se extendía a una gran altura.

Nico miró arriba. Vio la parte inferior de la casa flotante.

«El vínculo con nuestro mundo».

Nico se acercó muy deprisa al monstruo. Opal apareció a su lado al instante.

Los ojos vacíos de Otromundo se agrandaron. Su boca se abrió.

Nico y Opal tuvieron el mismo pensamiento a la vez.

«Es el momento de irse».

Dos puñales segaron la cuerda negra vibrante.

La cuerda se partió.

Otromundo gimió mientras era arrastrado al interior del vacío infinito.

El negro se tornó blanco. Lo que era arriba pasó a ser abajo.

Nico puso los ojos en blanco y no recordó nada más.

32

OPAL

—Tienes un aspecto increíble.

Opal se aguantaba la risa.

—Cállate. —Nico se puso tan colorado como su disfraz de rábano. No se podía sentar bien porque tenía el cuerpo demasiado redondeado, y se tumbo de lado como pudo. Una hortaliza repantingada—. ¿Por qué no os podía enseñar una foto del disfraz y ya está?

—Lo teníamos que ver en persona —argumentó Tyler—. Fijo. Si no, no habríamos podido apreciar el efecto en conjunto.

—Ya veréis cuando Opal se ponga a bailar —dijo Emma.

Opal negó con la cabeza, arrepentida.

—Creía que estabas conmigo.

—Y lo estoy. —Emma se puso terriblemente seria—. Tu número es una obra de arte.

293

—Tengo muchas ganas de ver la película —dijo Opal—. Y de ver cuántos rábanos es capaz de comer Tyler.

—Me has recordado que he traído una empanada de rábano. —Tyler la dejó en el suelo de la sala de exposiciones, en medio del círculo asimétrico que habían formado—. Se supone que tiene que estar buena. Creo que lleva un paquete entero de azúcar.

Nico hizo otro intento por ponerse de pie.

—¿Por qué tengo que volver a llevar esto? Es una pesadilla.

—Debemos hacer una ceremonia para convertirnos oficialmente en portadores de antorchas, pero yo no quería un antiguo ritual siniestro de esos. —Tyler puso un cuenco de rábanos crudos al lado de la empanada—. Nada de túnicas ni de cantos o baile de puñales, ni de cortes de pelo en grupo. Ya he tenido suficiente con todas las cosas extrañas que he visto.

—Bueno, mientras sea ridícula ya está bien. —Opal se puso bien los puños del disfraz, un chándal rojo con destellos azules.

Habían acordado que en la ceremonia incluirían las actuaciones que habían preparado para la fiesta, ya que ninguno de ellos llegó a participar al final. Los castigaron porque se fueron después de los destrozos ocurridos en la plaza mayor.

En el rostro de Nico se dibujó una amplia sonrisa.

—No puedo creer que mi padre pensara que no ser un rábano era un castigo.

Opal le devolvió la sonrisa. Todavía no había un comunicado oficial sobre si trasladaban o no al padre de Nico, pero él no dejaba que eso le afectara. Opal sabía que Nico estaba decidido a disfrutar de cada momento en Timbers. En silencio rezó para que los Holland se quedaran donde estaban.

—Ha sido un castigo para mí —se quejó Emma—. Estaba dispuesta a pasármelo en grande en esa película.

Opal dio un resoplido.

—O sea que ahora nos castigamos a nosotros mismos.

Tyler tenía la vista fija en el cuenco de rábanos.

—No puedo creer que vaya a comerme esto.

—Ojalá hubiera venido Logan —dijo Emma.

Todos se quedaron callados.

Logan se había mostrado distante desde la batalla en Otromundo, después de que Opal y Nico fueran arrojados al estanque. Era como si quisiera olvidarlo todo. Opal estaba decepcionada, aunque no se había sorprendido mucho. Al menos había dejado de acosar a Nico. «Dijo que se arrepentía. Ya es algo».

—Lo invitaste, ¿no? —preguntó Tyler a Opal.

—Sí. —Opal se encogió de hombros—. No fue borde ni se rio, pero dijo que tenía otra cosa que hacer.

Conducir sus buggies no podía ser. Habían quedado todos destrozados por culpa de una cucaracha venenosa gigante.

Nico miró su reloj.

—Vamos a empezar. Si vuelvo a llegar tarde a casa, me van a matar.

—De acuerdo. Bien. —Tyler se aclaró la garganta—. Así

pues, damos comienzo a nuestra ceremonia sagrada esta tarde de sábado bendita.

Nico puso los ojos en blanco.

—¿Me puedo quitar ya este disfraz estúpido?

—Primero tienes que desfilar —le regañó Emma—. Y ponte el gorro, por favor.

—¡Nooo! Ayudadme a levantarme, entonces. —Nico extendió los brazos como un bebé. Riendo, las chicas tiraron de él. Él se pavoneó arriba y abajo por el pasillo central—. Soy un rabanito que pasea por la calle. Me pusieron un tallo en la cabeza y unas raíces en los pies. —Intentó dar una vuelta, pero se cayó. Todos se rieron a carcajadas, incluso Nico.

Opal se rio con los demás, pero algo la inquietaba. Miró al panel de la pared, que habían roto las tres ilusiones letales de orcos. Habían colgado una sábana para tapar el hueco, pero Opal sabía que un pozo oscuro permanecía al acecho, por debajo de ellos, con una superficie negra inmóvil como si fuera vidrio.

De momento.

—Te toca, Ty. —Nico se quitó el gorro de rábano y trató de darle un golpe con él—. A ver cuántos eres capaz de comerte.

Emma sacó el cronómetro del reloj.

—Tres minutos para la gloria. ¡Ya!

—No voy a salir vivo de esta. —Tyler cogió un rábano y se lo metió en la boca. Fingió que le daba una arcada—. ¡Uf! ¡Puaj! Ayudadme, que me muero. —Al final resultó que solo se pudo comer dos.

—Y tú que creías que ibas a ganar. —Nico sacudió la cabeza simulando una cara de asco.

—Es que son muy ásperos. —Tyler escupió en una bolsa de plástico—. Ojalá la empanada esté buena.

—Muy bien, Opal, tu turno —dijo Nico.

Ya habían decidido que la película de Emma sería lo último. La verían juntos y animarían a los tomates-rábanos asesinos.

Opal se puso de pie remilgadamente.

—Necesito que todos seáis respetuosos. Esto es arte. Yo soy una artista.

Emma puso una suave melodía de música clásica en el móvil.

Opal se encogió en el suelo.

—Soy una semilla. Una semilla muy pequeña preparada para dar vida a un montón de rábanos.

Tyler resopló.

—¿En serio que vas a hacer de narradora?

—¡Chist! Presta atención. —Opal alzó un brazo—. Soy una semilla que crece. —Era difícil mantener la compostura—. Pronto saldré de la tierra. —Dio un salto y se puso de puntillas.

—Qué rápido —soltó Nico.

—No he terminado —replicó Opal—. Aún estoy saliendo. —Extendió los brazos hacia arriba, y luego los bajó de golpe hacia los lados y empezó a hacer un paso de baile como si corriera.

—Lo estás clavando —comentó Emma con admiración.

—Al final todos tenéis que brotar de la tierra conmigo. —Opal les hizo una seña para que se levantaran del suelo.

Tyler protestó, pero Emma puso una canción de música pop. Opal ayudó a Nico a levantarse y él empezó a moverse como un rábano-robot torpe. Estaban bailando como idiotas cuando oyeron que se abría la puerta principal.

Todos se quedaron de piedra, con los ojos abiertos de par en par.

Logan Nantes entró en la sala.

El grupo dio un grito ahogado de alivio. Opal sintió que se le subían los colores a la cara. Estaban haciendo el ganso, y ella llevaba un disfraz de hortaliza casero. Ese era el tipo de cosas por las que los bravucones se ensañaban con la gente.

—Vaya. —Logan habló con una voz forzada—. ¿Esto qué es, una especie de baile... de rábanos?

—Sí —respondió Opal—. Es... esto... sí. Sí que es eso.

La música seguía sonando.

Para sorpresa de Opal, Logan se echó a la moqueta y empezó a hacer el gusano.

Todos se quedaron mirándolo.

—¿Qué? —Logan se volvió a poner de pie y se encogió de hombros—. Los gusanos ayudan a los rábanos a crecer.

Nico dio un resoplido. Extendió el puño, y Logan lo chocó con el suyo.

—Ha sido lo más patético que he visto jamás —dijo Tyler—. Estoy impresionado.

Opal rio, y Emma subió el volumen. Enseguida todos se divertían a lo grande y bailaban al ritmo de la música.

Cuando se terminó la canción, Logan hizo una seña a Emma para que parara la música.

—Siento llegar tarde. Quería traer algo, pero he tardado más de lo que creía en hacer esto. —Se sacó cinco cuerdas negras del bolsillo, cada una de ellas atada a una diminuta antorcha de madera tallada a mano.

Opal echó un vistazo a los rostros enmarcados en la pared. Era el símbolo de los portadores de antorchas, pero renovado.

—Es lo que dijisteis, chicos. —Logan carraspeó, y entregó los collares uno a uno—. Ahora somos portadores de antorchas. Pues vamos a parecernos a ellos.

Opal giró la talla en su mano. Del revés, las llamas parecían un pozo que se arremolinaba. «Precioso».

—¿Los has hecho tú? —preguntó Emma, asombrada.

—Sí. Espero que cuenten como mi entrada a la fiesta. Detesto los rábanos.

—¡Eh! —se quejó Tyler—. Los rábanos están de moda ahora. Súbete al carro.

Emma se puso el collar.

—Oh, esto ya vale. Son increíbles.

—Gracias, chaval. —Tyler se puso el suyo alrededor de la muñeca como una pulsera.

Opal hizo lo mismo.

—¿Y ahora qué? —quiso saber Logan—. ¿Hacemos un juramento o algo así?

—Íbamos a escuchar cómo Emma machacaba una película clásica. —Opal arqueó una ceja—. Pero un juramento suena bien. —Extendió la mano, y los demás pusieron la suya encima. Todos tomaron aire, aunque nadie dijo nada.

—Seguimos sin tener nada —comentó Tyler.

—¿Uno para todos y todos para uno? —sugirió Emma.

Logan entornó los ojos.

—Creo que eso está un poco anticuado.

Nico habló en voz baja:

—¿Y qué tal «Vigilamos Otromundo y nos protegemos unos a otros»? —Los demás lo miraron, y él agachó la cabeza—. Queda cojo. Da igual.

—No. —Sonrió Opal—. Es guay, Nico. Supercojo, pero también perfecto en cierto modo.

Todos repitieron las palabras. Y levantaron las manos juntos.

—Muy bien —anunció Emma—. ¡Ha llegado el momento de la película!

Empezó a toquetear el proyector portátil que había llevado. La película cobró vida titilante en el panel de una pared, cerca del que se había roto. Opal se estremeció de nuevo. «Tenemos que arreglar eso sí o sí».

Emma empezó a hacer su voz en *off* tan afectada. Tyler y Logan se pusieron a reír de los horribles efectos especiales. Opal se dio cuenta de que Nico estaba sentado tan cerca de ella que sus hombros se tocaban. ¿Lo había hecho a propósito? No lo sabía decir.

Un destello de luz le llamó la atención: el haz del proyector se reflejaba en el extraño frasco verde del pedestal. Opal echó un vistazo a la criatura que había dentro. Esta la miró con unos ojos ausentes, abiertos. «Qué extraño», pensó Opal. «Me pregunto qué era».

La criatura parpadeó.

A Opal casi se le escapa un grito.

Eso que había dentro del frasco sonrió.

«Ven, Opal».

«Ven a ver lo que te tengo preparado».

LOS AUTORES

Ally Condie es la autora de la trilogía *Juntos* y de la novela infantil *Summerlost*, finalista en 2016 del prestigioso Edgar Award. Vive en Salt Lake City, Utah, con su marido y cuatro hijos, y es la fundadora de la organización sin ánimo de lucro WriteOut Foundation.

Brendan Reichs es el autor del bestseller *Nemesis* y coautor de la serie *Virals*. Brendan también es uno de los organizadores de los festivales literarios YALLFEST y YALLWEST. Vive en Charlotte, Carolina del Norte, con su mujer, hijos y una manada de animales que lo destrozan todo.

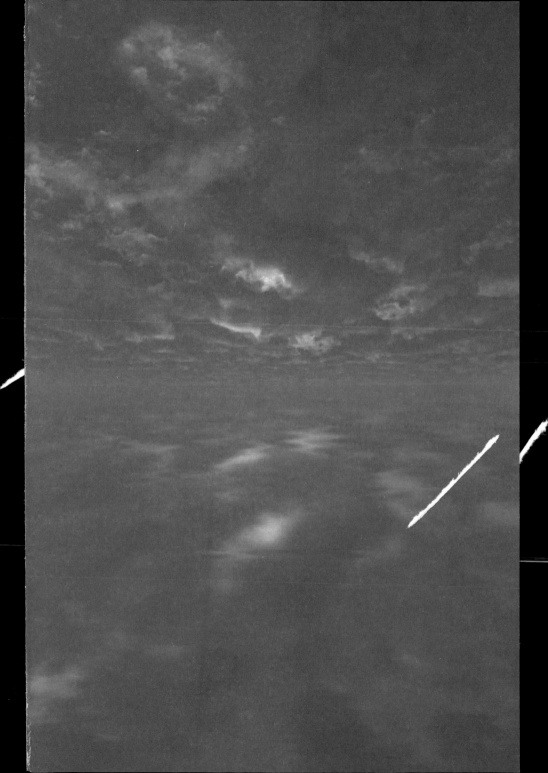